LES GARDIENS de GA'HOOLE

L'éclosion

LIVRE VII

Par-Delà le Par-Delà
Forêt des Ombres
Pays du
Soleil d'Argent
Royaumes
du Sud
Lande
Forêt
d'Ambala
Gorges de Saint-Ægolius
N
Pension Saint-Ægolius
pour chouettes orphelines

Promontoire de
la Serre tordue
Royaumes
du Nord
ninsule
Bois
x Esprits
Fjords
Mer d'Hoolemere
Cap-
laucis
Île de Hoole
Monts-Becs
sert
e
nir
Forêt de Tyto
Creux de Soren
Fleuve Hoole

Le poussin voyait quelque chose. Le forgeron le savait à la façon dont ses pupilles fixaient, sans ciller, le gésier du feu. Il examina son reflet dans les prunelles de Nyroc. Oh ! Était-ce le Charbon de Hoole qu'il distinguait dans ces jeunes yeux ?

LES GARDIENS de GA'HOOLE

LIVRE VII

L'éclosion

KATHRYN LASKY

Traduit de l'anglais (États-Unis)
par Cécile Moran

POCKET JEUNESSE

L'auteur

Kathryn Lasky est depuis longtemps passionnée par les chouettes et les hiboux. Il y a quelques années, elle a entrepris des recherches poussées sur ces oiseaux et leur comportement. Elle songeait à se servir de ses notes pour écrire un jour un essai, illustré de photographies de son mari, Christopher Knight. Mais elle s'aperçut bientôt que la tâche serait compliquée, ces créatures étant des animaux nocturnes, timides et difficiles à localiser. Elle se décida alors pour un roman, dont l'action se situerait dans un monde imaginaire...

Kathryn Lasky a écrit de nombreux ouvrages. Elle a reçu comme prix le National Jewish Book Award, le ALA Best Book for Young Adults, le Horn Book Award délivré par le *Boston Globe* et le Children's Book Guild Award du *Washington Post*. Fruit d'une collaboration avec son mari, *Sugaring Time*, un essai, a été récompensé d'un Newbery Honor.

Kathryn Lasky et son mari vivent à Cambridge, dans le Massachusetts.

Titre original :
GUARDIANS OF GA'HOOLE
7. The Hatchling

Publié pour la première fois en 2005, par Scholastic Inc., New York.

Loi n° 49-956 du 16 juillet 1949 sur les publications destinées à la jeunesse : novembre 2008.

Artwork by Richard Cowdrey.
Design by Steve Scott.

ISBN 978-2-266-15525-0

Royaumes du Nord

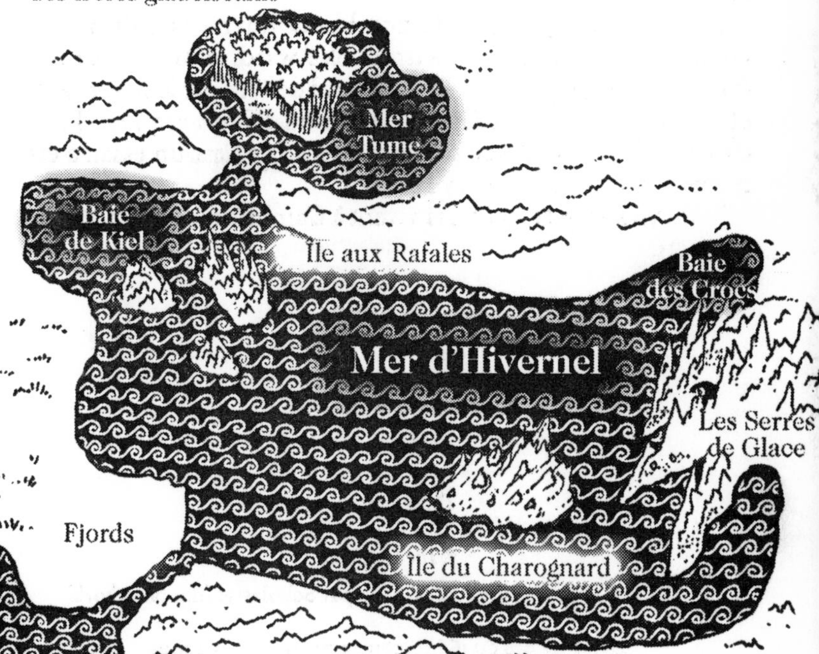

Royaumes du Sud

Du même auteur,
dans la même collection :

I. L'enlèvement
II. Le grand voyage
III. L'assaut
IV. Le siège
V. Le guet-apens
VI. L'incendie

À Maria Weisbin

Les personnages

Soren et ses meilleurs amis

SOREN : chouette effraie, *Tyto alba*, du royaume sylvestre de Tyto ; s'est échappé de la pension Saint-Ægolius pour chouettes orphelines

GYLFIE : chevêchette elfe, ou chevêchette des saguaros, *Micrathene whitneyi*, du royaume désertique de Kunir ; s'est échappée de la pension Saint-Ægolius pour chouettes orphelines ; meilleure amie de Soren

PERCE-NEIGE : chouette lapone, *Strix nebulosa* ; devenu orphelin à peine quelques heures après son éclosion, il a passé son enfance à vagabonder de royaume en royaume

SPÉLÉON : chouette des terriers, *Speotyto cunicularius*, du royaume désertique de Kunir ; s'est perdu dans le désert après une attaque au cours de laquelle son frère a été tué par des hiboux de Saint-Ægolius

(Tous les quatre sont Gardiens du Grand Arbre de Ga'Hoole)

LES PROFESSEURS (OU « RYBS ») DU GRAND ARBRE DE GA'HOOLE

BORON : harfang des neiges, *Nyctea scandiaca*, roi de Hoole

BARRANE : harfang des neiges, *Nyctea scandiaca*, reine de Hoole

EZYLRYB : hibou petit duc à moustaches, *Otus trichopsis*, sage ryb de météorologie et chef du squad des charbonniers ; mentor de Soren (également connu sous le nom de Lyze de Kiel)

STRIX STRUMA : chouette tachetée, *Strix occidentalis*, célèbre ryb de navigation tuée par Nyra au cours du siège du Grand Arbre

SYLVANA : chouette des terriers, *Speotyto cunicularius*, jeune ryb et chef du squad de battue

LES AUTRES HABITANTS DU GRAND ARBRE

OTULISSA : chouette tachetée, *Strix occidentalis*, jeune femelle de haut lignage ; Gardienne du Grand Arbre et ryb de ga'hoologie

MARTIN : petit nyctale, *Aegolius acadicus*, coéquipier de Soren dans le squad d'Ezylryb

RUBY : hibou des marais, *Asio flammeus*, coéquipière de Soren et de Martin

ÉGLANTINE : chouette effraie, *Tyto alba*, petite sœur de Soren

MISS PLONK : harfang des neiges, *Nyctea scandiaca*, l'élégante chanteuse de Ga'Hoole

BUBO : hibou grand duc, *Bubo virginianus*, forgeron

MME PITTIVIER : serpent aveugle, ancienne domestique de la famille de Soren ; membre de la guilde des harpistes

OCTAVIA : serpent kiéléen, domestique de Miss Plonk et d'Ezylryb (également connue sous le nom de Brigid)

Les Sangs-Purs

KLUDD : chouette effraie, *Tyto alba*, grand frère de Soren et d'Églantine ; ancien chef des Sangs-Purs ou Grand Tyto, tué par Perce-Neige lors de la bataille du Grand Incendie (également connu sous le nom de Bec d'Acier)

NYRA : chouette effraie, *Tyto alba*, ancienne compagne de Kludd ; a pris la tête des Sangs-Purs après la mort de celui-ci

NYROC : chouette effraie, *Tyto alba*, fils de Kludd et de Nyra, éclos deux jours après la mort de son père ; s'entraîne afin de devenir le nouveau Grand Tyto

KRADOS : effraie ombrée, *Tyto tenebricosa*, membre de la caste inférieure des Sangs-Purs ; ami de Nyroc (également connu sous le nom de Philippe)

VILMOR : chouette effraie, *Tyto alba*, lieutenant de la Garde Pure

NORDU : chouette effraie, *Tyto alba*, sous-lieutenant de la Garde Pure placé sous les ordres directs de Nyra

MOLOS : chouette effraie, *Tyto alba*, capitaine de la Garde Pure

PERSONNAGE SECONDAIRE

GWYNDOR : effraie masquée, *Tyto novaehollandiae*, forgeron solitaire

Prologue

— Le voici ! s'exclama une jeune chouette.

Nyroc, le fils unique de Kludd, le grand guerrier, amorça une descente en piqué. En rasant le sol, il saisit du bout du bec les restes d'un rameau brûlé puis, d'un mouvement vif, il s'éleva de nouveau dans les airs. Il avait exécuté l'exercice à la perfection et maniait la branche avec beaucoup de classe. On avait peine à croire qu'il s'agissait de son premier vol. La réalisation de ce genre de figure lors d'une première sortie était audacieuse, presque extravagante, et il s'en était sorti avec brio. Il dessina ensuite un beau huit dans le ciel, juste au-dessus des deux pics de l'énorme rocher de la porte du Grand Duc, enchaîna avec une vrille et termina par un atterrissage en douceur sur la corniche où étaient alignés ses aînés. Son angle d'approche suscita l'admiration de tous. Enfin, face à sa mère et aux lieutenants de celle-ci, le poussin leva l'aile droite et lança d'un cri perçant :

— Gloire éternelle à Kludd, commandant suprême de l'Union tytonique des Sangs-Purs ! Gloire à vous, Votre Pureté, Mam' la Générale Nyra, compagne bienaimée de feu le Grand Tyto !

1

Un fils parfait

— Magnifique ! s'écria une chouette effraie d'un certain âge.

— Quand on pense qu'il ne sait voler que depuis quelques nuits !

— Ma foi, je n'avais jamais vu personne exécuter le salut kluddien avec une telle assurance, renchérit une troisième effraie.

— Mam' la Générale, vous pouvez être fière de votre fils. Nyroc est le jeune Sang-Pur idéal. Il sera bientôt capable de servir dans les bataillons d'élite de l'Union tytonique.

— Oui, répondit Nyra dans un souffle.

Son petit dépassait ses plus folles espérances. Quel plus beau cadeau Glaucis aurait-il pu lui offrir pour la consoler de ses malheurs ? Comme elle, il avait éclos au cours d'une nuit très spéciale, alors que l'ombre de la terre masquait la lune – un excellent présage : les poussins des éclipses étaient toujours promis à des destins extraordinaires.

Aussitôt après l'éclosion du poussin, sa mère s'était penchée sur lui. Son visage, inhabituellement large pour une femelle effraie, était barré d'une cicatrice en diagonale. En ouvrant ainsi les yeux sur le monde, Nyroc avait découvert sa face ronde d'un blanc éclatant, et l'astre voilé en arrière-plan. Dans sa confusion, il avait cru que la lune était tombée du ciel pour lui parler. « Tu es né pendant l'éclipse, mon enfant, lui avait-elle dit. Tu porteras donc le nom de tous les poussins mâles dont la coquille s'est brisée à cet instant magique : Nyroc. » Ensuite, elle avait pointé du bec une paire de serres de combat bien astiquées accrochées au fond de leur creux. « Un jour, tu seras assez grand pour les enfiler, Nyroc. Ce sont les serres de combat de ton père. Les Sangs-Purs les vénèrent comme des reliques sacrées. Elles sont pour toi et tu les porteras à la bataille. Elles méritent ta plus grande considération. Regarde-les bien, mon poussin. »

À l'époque, il n'avait pas vraiment compris ce qu'elle

voulait dire. Mais depuis, chaque nuit, tandis que sa mère lui racontait les exploits héroïques de Kludd, Nyroc les contemplait religieusement. Elles luisaient d'une intensité telle que la pleine lune paraissait pâle en comparaison. Et Nyra concluait toujours ses histoires ainsi: «Tu seras digne de ces serres, mon fils, et tu leur feras honneur. Tu seras aussi fort et redoutable que l'était ton père.»

Cependant, l'oisillon ne s'était pas contenté de devenir la copie conforme de Bec d'Acier. Certains prétendaient qu'une fois adulte, il le surpasserait largement. L'armée de l'Union tytonique des Sangs-Purs avait subi une défaite cuisante lors de la célèbre bataille de Saint-Ægolius ou bataille du Grand Incendie[1]. Du moins selon la version officielle des historiens du monde des chouettes. Toutefois ce petit avait ravivé l'espoir dans son camp. Son génie et son agilité redoreraient la renommée ternie de l'Union. Devant ses prouesses impressionnantes, les autres jeunes recrues rentraient le ventre et s'aplatissaient littéralement: elles minouchaient.

1. Voir livre VI, *L'incendie*.

Comment rivaliser avec ce modèle de perfection tytonique ? Elles en éprouvaient une grande jalousie. Mais mieux valait ne pas la montrer, sinon gare à son croupion ! Au lieu de le maudire, elles imitaient les adultes et claquaient des mandibules avec enthousiasme pour saluer ses performances – un vrai public en délire !

— Quelle adresse ! s'exclama le vieux lieutenant Vilmor. Et quelle élégance ! Oh, Glaucis tout-puissant ! Visez un peu ce plongeon ! Et avez-vous vu comment il a saisi la branche ? Je parie qu'il l'aurait attrapée aussi facilement si elle avait été enflammée. On n'est pas au bout de nos surprises, c'est moi qui vous le dis.

Vilmor était un dur à cuire. Molos et lui faisaient partie des rares survivants des troupes d'élite qui avaient combattu l'Escadrille du Feu de Ga'Hoole, à laquelle appartenait Soren, le frère de Kludd – et son bourreau.

Nyra observait les actions d'éclat de son rejeton avec une excitation non dissimulée. Il serait leur sauveur, celui qui les vengerait de Soren ! Elle l'élevait d'ailleurs dans ce seul but. Son gésier en frémissait d'avance. À la rosée, dès que les chaudes nuances pastel de l'aurore chassaient les derniers lambeaux gris de la nuit, à l'heure où les oiseaux nocturnes rentraient dormir, elle lui racontait comment son père était mort sous les serres féroces de son oncle. C'était leur rituel du matin, en quelque sorte. À présent, Nyroc connaissait l'histoire sur le bout des griffes et ils la récitaient ensemble.

Les chouettes adoraient les cérémonies. Tous les prétextes étaient bons ! Leur vie n'était qu'une longue succession de rituels ; depuis l'éclosion jusqu'à la Dernière Cérémonie, chaque événement important de l'existence s'accompagnait d'une célébration. Nyroc en avait déjà accompli plusieurs. Sa cérémonie de la Viande, d'abord, lorsqu'il avait été autorisé pour la première fois à manger autre chose qu'un vermisseau ou un insecte. Très vite, il s'était régalé d'une proie fraîchement tuée et encore revêtue de sa fourrure pour sa cérémonie du Pelage. Peu après, il avait eu le droit de gober un animal entier, avec les os. Ensuite était arrivée la fameuse cérémonie de la Pelote. Cette nuit-là, il avait recraché un joli paquet de poils et d'os fabriqué par son gésier.

Et il venait enfin de passer avec brio sa cérémonie du Vol, peut-être la plus importante pour un poussin.

Des cris retentirent :

— Parfait ! Tout simplement parfait ! Prenez-en de la graine, petits : vous avez devant vous le plus bel exemple de ce que doit être un futur S-P.

Bien entendu, tous les jeunes minouchèrent, une fois de plus. Tous sauf un, en réalité. Au lieu de plaquer ses plumes contre son corps, ce mâle se rengorgea en affichant une mine satisfaite. Il s'agissait d'une effraie ombrée prénommée Krados.

Sur la pyramide symbolisant la société rigide et très hiérarchisée des Sangs-Purs, il se situait à la base, où il occupait un des rangs les plus modestes. Toute chouette qui rejoignait cette étrange Union d'effraies apprenait vite que certaines étaient plus « pures » que d'autres. Parmi les nombreuses sous-espèces, les *Tyto alba* – celles qui arboraient un beau visage blanc en forme de cœur tels Nyroc, sa mère, Vilmor ou Molos – étaient jugées supérieures. À l'échelon intermédiaire, on rencontrait les effraies masquées, dont la tête n'était pas tout à fait aussi blanche. Puis venaient les effraies des prairies, aux traits un cran plus sombres, et encore plus bas sur l'échelle de la pureté les effraies ombrées ou *Tyto tenebri-*

cosa, comme Krados. Enfin, au pied de la pyramide, il y avait les effraies piquetées.

Krados paraissait saupoudré de poussière de charbon. Seuls quelques petits ronds blancs ornaient la partie supérieure de son corps. Son visage était en forme de cœur, mais légèrement écrasé. Malheureusement pour lui, il appartenait à l'avant-dernière caste des Tytos. Jusqu'à l'éclosion de Nyroc, il se croyait la chouette la plus misérable au monde. Il n'avait jamais voulu rejoindre l'Union. L'idée était de son père. Après l'incendie qui avait ravagé le Pays du Soleil d'Argent et tué le reste de leur famille, celui-ci était devenu un peu fou. Il avait décrété que les Tytos devaient accomplir la volonté de Glaucis en s'alliant aux puissants et mystérieux Sangs-Purs. Il s'était fait tuer dès la première bataille, une simple escarmouche contre un petit groupe de Ga'Hoole.

Ce n'est qu'un peu plus tard que Krados comprit ce qui l'attendait chez les Purs parmi les Purs. Le mot Tyto avait beau figurer dans son nom savant, cela comptait pour des prunes. Privé de père, et descendant d'une famille moins noble que celle des Tytos supérieurs, il collectionnait les sales boulots. On ne l'autorisait même pas à porter son vrai prénom ! D'ailleurs, il avait fini par l'oublier. Il se rappelait seulement qu'il sonnait bien, avec un petit côté distingué, comme Edgar ou Philippe. Les Sangs-Purs préféraient l'appeler Krados. Toutes les ombrées recevaient ainsi des surnoms humiliants, tels que Ailes Crottées ou Cendrillon. Mais ce n'était rien par rapport aux effraies piquetées. L'une d'elles, emprisonnée depuis peu pour lâcheté au combat, répondait au doux nom de Porkas. Leur sort n'avait rien d'enviable. Et Krados ne cessait de répéter : « C'est pas juste. »

Cependant, la naissance du poussin avait chamboulé son existence. Un miracle s'était produit : Nyra avait invité Krados à assister à l'éclosion du globe sacré – son œuf. Au moment magique où, par le jeu de leurs trajectoires célestes, la lune tombait dans l'ombre de la terre, Krados lui-même s'était mis à graviter sur une orbite beaucoup plus élevée à l'intérieur du système des Sangs-Purs : il avait enfin accédé à la lumière. Son quotidien avait changé du tout au tout. Depuis, il accompagnait le poussin à chacune de ses cérémonies. Rapidement, Nyroc et lui étaient devenus les meilleurs amis du monde.

Voilà pourquoi, tandis que les autres minouchaient, Krados se réjouissait des succès de Nyroc. Oh, il ne serait jamais soumis à ce genre d'épreuves, lui. Il n'avait nul espoir d'intégrer un jour les troupes d'élite, telles que les Éclaireurs ou les Serres de Feu. Jamais un forgeron solitaire ne prendrait les dimensions de ses serres pour lui fabriquer une paire de serres de combat sur mesure. Mais maintenant, cela n'avait plus la moindre importance. Il était le compagnon inséparable de Nyroc, futur chef des Sangs-Purs et héritier du titre le plus redouté au royaume des chouettes : Grand Tyto !

2

Parfait... ou presque

— Tu... quoi ? fit Nyra en poussant un cri strident.

« Oups ! » pensa Nyroc.

— Tu oses remettre en cause ma décision ?

— Pardon, maman... Mam' la Générale. Je... j'ai pensé que...

— Non, justement, tu n'as *pas* pensé. Cette effraie piquetée est en prison pour une bonne raison. Si j'affirme que ce mâle est un lâche, c'est qu'il est un lâche. Je vais te dire ce qu'est Porkas : un poltron. De plus, il a désobéi ; il n'a pas respecté les sujets scronqués.

— Tu veux dire qu'il a parlé du Grand Arbre de Ga'Hoole ?

Nyra tressaillit.

— Oui, siffla-t-elle.

— C'est horrible !

D'aussi loin qu'il s'en souvienne, il était strictement interdit de discuter du Grand Arbre de Ga'Hoole et de ses légendes – sauf, à la rigueur, pour les critiquer dans des termes cinglants – sous peine d'encourir les plus sévères châtiments. Il s'agissait d'un sujet « scronqué », selon le mot en usage chez les chouettes. La mère de Nyroc lui avait si bien seriné la leçon que chaque fois qu'on prononçait le mot « Ga'Hoole » près de lui, les fentes qu'il possédait en guise d'oreilles se refermaient automatiquement.

La réprimande lui tombait sur le coin du bec quelques minutes après sa cérémonie du Vol, alors qu'ils se retrouvaient seul à seule dans leur creux de pierre, au fond de la crevasse d'une haute falaise. Il avait manqué de jugeote en contestant le verdict de sa mère. Quelle idée !

Bien qu'il ait à peine deux mois, Nyroc avait l'habitude des sautes d'humeur de Nyra. Un instant il se chauffait à son regard fier, le suivant il se brûlait à sa colère. Il ne la comprenait toujours pas, malgré les explications patientes de Krados :

— C'est parce qu'elle t'aime très fort, Nyroc. Et puis tu lui rappelles ton défunt père. Elle l'adorait et ce doit être dur pour elle. Elle place de grandes espérances en toi et... vois-tu... parfois, elle s'emballe un peu.

— C'est quoi, « s'emballer » ?

— Eh bien, elle se laisse emporter par ses émotions. Elle est très fière de toi. Je t'assure.

Nyroc se sentait toujours mieux après avoir bavardé avec Krados. Son ami était plus vieux et plus expérimenté. Que ferait-il sans lui ? Pour commencer, il resterait souvent seul dans son coin, car aucun autre poussin ne semblait l'apprécier. Leur jalousie sautait aux yeux. Au fond, il s'en fichait pas mal. Il voulait juste devenir le meilleur Sang-Pur possible, le digne fils du Grand Tyto. Grâce aux histoires extraordinaires de Nyra, il avait l'impression d'avoir connu ce héros et il ne caressait qu'une ambition dans la vie : égaler son père et devenir à son tour un grand chef. L'appel du destin résonnait en lui – sa maman le lui répétait assez souvent et il avait fini par s'en convaincre, sans savoir très bien ce que cela signifiait.

Nyroc n'était pas seulement doué de ses ailes, il était aussi très fort pour effacer de sa conscience les pensées et les souvenirs désagréables. Cette qualité, plus que toute autre, en faisait une chouette modèle chez les jeunes Sangs-Purs entraînés pour restaurer la gloire de l'Union. Il le démontra une nouvelle fois en s'empressant d'oublier la colère de Nyra pour ne garder en mémoire que son orgueil rayonnant.

Mam' la Générale était un professeur intransigeant et sévère. Nyroc ne lui en voulait pas, au contraire! Il chuinta tout bas en repensant à ses premières leçons. C'était d'un comique! Depuis la bataille du Grand Incendie, il manquait dans le paysage de Saint-Ægo un léger détail: des arbres. À moins d'être nés dans le désert, les oisillons commençaient en général leur apprentissage du vol en sautillant de branche en branche. Mais à présent que la végétation des canyons, qui n'avait jamais été très touffue, était réduite à quelques squelettes rabougris et calcinés, ils devaient bondir de pierre en pierre, ou de saillie en saillie. Cela n'avait posé aucun problème à Nyroc. À la fin d'une nuit d'exercices intensifs, il parvenait déjà à voler sur de courtes distances, entre deux corniches. Cependant sa mère exigeait qu'il vole toujours plus vite et qualifiait ses virages de « brouillons, même pas dignes d'un pigeon soûl ».

Il chuinta de nouveau, amusé. Il avait accéléré sans difficulté, mais il faisait un de ces boucans! Il ne maîtrisait pas encore son «peigne», cette frange de plumes soyeuses alignées sur le bord antérieur des rémiges primaires qui permettait de voler dans un silence absolu. Nyra avait alors insisté pour qu'il prenne un maximum de vitesse sans provoquer le moindre bruit. Elle-même n'était pas un modèle de discrétion, contrairement à ce qu'elle prétendait. Nyroc l'entendait venir à des kilomètres. Ses battements d'ailes étaient plus lourds que ceux d'un canard. Mais les siens, non. Il avait fini par maîtriser l'art de voler aussi vite que l'éclair et aussi discrètement que son ombre. Et il adorait ça. À ce sujet aussi, les anciens l'avaient encensé durant la cérémonie. «Si vif! Et si silencieux avec ça! Quel talent!» avait dit l'un. Un autre s'était exclamé: «Véloce comme un aigle, discret comme une chouette. Un vrai génie. Pile ce qu'il nous fallait pour reconstruire l'empire.»

Cette dernière remarque n'était pas tombée dans l'oreille d'une sourde. Nyra jubilait. En dehors des jeunes inexpérimentés, il lui restait à peine vingt soldats de l'ancienne armée; toutefois elle ne désespérait pas de rebâtir son empire. Kludd et elle avaient remporté des victoires éclatantes par le passé. Il y en aurait d'autres.

Après son sermon, elle partit passer ses troupes en revue. À son retour, elle semblait déjà avoir pardonné l'insolence de son fils. Dans les canyons, les performances de Nyroc étaient au centre de toutes les conversations.

— Les vétérans admirent ton élégance et ta vivacité, mon petit. Tu es la perfection incarnée ! Même si je pense que tu peux encore t'améliorer. Les nouvelles recrues qui savent voler depuis beaucoup plus longtemps que toi rêvent de t'imiter.

— C'est vrai, maman ?

— Bien sûr que c'est vrai. Tu peux être fier.

Nyroc réfléchit un instant. Puis il hocha la tête.

— Si je tiens de toi et de papa, alors oui, je suis fier.

Nyra rayonnait. C'était exactement ce qu'elle voulait entendre. Souvent le poussin se demandait si les autres mamans ressemblaient à la sienne. Peut-être pas. Mais tous les oisillons n'étaient pas non plus destinés à devenir de grands chefs.

— Vois-tu, continua-t-elle, il est très important que tu suives scrupuleusement mes instructions. Ta Cérémonie spéciale, la Tupsi, va bientôt avoir lieu.

Nyroc ne savait pas très bien en quoi consistait ce nouveau rituel. Il avait cru comprendre que le prisonnier, Porkas, y participerait. Mais il n'osait plus prononcer son nom de peur d'essuyer une deuxième réprimande.

— Maman, c'est quoi exactement, la Cérémonie spéciale ? Et pourquoi l'appelle-t-on Tupsi ?

— Lorsque j'estimerai que tu seras prêt, je t'en dirai davantage. Après cette cérémonie, tu deviendras un officier de l'armée des Sangs-Purs. Oh, ton père serait si heureux ! soupira-t-elle. Auparavant, nous assisterons à sa Dernière Cérémonie.

— Quand ?

— Dès que Vilmor et Nordu auront trouvé un forgeron solitaire.

— Oh ! Il va faire du feu ? demanda Nyroc, tout excité.

— Oui, chéri. Les os de ton papa sont tout ce qu'il nous reste de lui et ils doivent être brûlés. C'est toujours ainsi que se déroule la Dernière Cérémonie d'un grand chef. On appelle cela la Sublimation.

Nyroc sentit un frisson d'impatience parcourir son gésier. Contrairement à leurs ennemis de Ga'Hoole, les Sangs-Purs ignoraient comment faire du feu. Ils étaient entièrement dépendants de la foudre et des forgerons solitaires. Ces derniers réussissaient à en allumer des petits, presque inoffensifs, ou des très chauds, pour y forger des armes telles que des serres de combat. Même s'il avait dévasté et enlaidi son pays, Nyroc était fasciné par le feu et l'idée que l'on puisse s'en servir afin de fabriquer des objets utiles. Mais il n'avait jamais vu de vraies flammes et n'avait contemplé que leurs ravages sur le paysage.

Nyroc rêvait aussi d'admirer un arbre – un arbre vivant, avec de la sève et des racines, pas une souche carbonisée.

On racontait qu'il en existait avec des feuilles et des creux tapissés de mousse satinée où il était possible de dormir. Par ailleurs, le Grand Incendie avait éradiqué la mousse dans les canyons. Krados avait souvent tenté de lui en décrire la douceur et les couleurs, qui allaient du vert d'eau au vert émeraude. Il en poussait une si soyeuse qu'on l'appelait mousse d'hermine. Mais la couleur verte était un mystère pour Nyroc, tout comme le feu, les arbres qui poussaient dans les contrées lointaines, le velouté de la mousse et la signification du mot « destin ». Il lui restait tant à découvrir.

3
La Sublimation

Vingt chouettes s'engouffrèrent en piqué dans le canyon étroit. Nyra menait le groupe, suivie de près par Nordu, Nyroc... et Krados. Une fois de plus, l'effraie ombrée profitait d'une position privilégiée parmi les lieutenants des anciennes forces d'élite et elle n'en revenait toujours pas. Le petit groupe se rendait solennellement à une Sublimation, la Dernière Cérémonie des chefs tombés au combat. Du moins, ceux dont les corps pouvaient être retrouvés. Trop souvent, les vautours fonçaient les premiers sur les soldats morts ; et lorsqu'une chouette recevait un coup fatal au-dessus de la mer d'Hoolemere, son cadavre disparaissait à jamais dans les flots.

Mais Kludd avait péri à l'intérieur d'une grotte. Sa dépouille avait été gardée nuit et jour en attendant qu'un forgeron solitaire accepte d'accomplir le rituel. Nyroc n'était encore jamais entré dans la caverne. Plein d'appréhension, il se préparait à découvrir les ossements de ce père si puissant. Le plus grand chef que l'Union tytonique ait jamais connu. Celui dont le nom faisait encore trembler le gésier de n'importe quelle chouette. Oui, Nyroc était très nerveux. Nyra dut le sentir, car, tandis que l'obscurité de la grotte les engloutissait, elle s'assura que Krados avait sa place attitrée à côté de son fils.

« Les choses ont bien changé, pensa Krados. Nyra compte sur *moi* pour soutenir Nyroc. Moi qui n'étais encore qu'un moins-que-rien il y a quelques mois ! »

Ils s'enfoncèrent dans la cavité et prirent place le long d'une saillie. Quelques bâtons blancs gisaient, éparpillés, sur le sol. Nyroc aperçut le masque de métal du mort incliné contre un rocher ; il l'avait porté de jour comme de nuit afin de couvrir son visage mutilé et défiguré par les blessures de guerre, d'où son surnom de Bec d'Acier. Nyra lui en avait parlé. L'idée qu'il n'aurait jamais pu voir le vrai visage de son papa le troublait. Une fois, il avait demandé :

— Mais, maman, est-ce qu'il aurait été obligé de me parler à travers son faux bec ?

— Bien sûr. Je t'assure que le métal donnait à sa voix une résonance charmante.

Nyroc ignorait ce que cela signifiait mais il ne tenait pas à en savoir davantage.

À présent sa maman lui tapotait le dos du bout de l'aile.

— Suis-moi, Nyroc. Allons présenter notre basnuk à ton père.

— « Lui présenter notre basnuk » ? Qu'est-ce que ça veut dire ?

— Lui présenter nos respects, lui rendre hommage.

— Dire au revoir, en somme ?

— Oui ! Ça suffit maintenant, assez de questions.

« Gaffe ! pensa Nyroc. Ce n'est pas le moment de lui courir sur le croupion. »

— Euh... Juste une dernière question, maman : est-ce que Krados peut venir avec nous ?

— Évidemment, trésor. Krados est toujours le bienvenu.

L'intéressé cligna des yeux. « Un miracle pur et simple », se dit-il en gonflant un peu la poitrine.

— Merci, maman. Et... Non, rien.

Il se demandait à quoi exactement il était supposé dire au revoir. Il ne tarda pas à avoir la réponse. Les objets blancs qu'il avait pris pour des bâtons étaient en réalité des os. Une énorme effraie masquée au plumage hirsute se tenait à côté, avec un petit seau de métal près d'elle. D'après Krados, il s'agissait du genre de récipient dans lequel les forgerons solitaires transportaient leurs charbons ardents. Nyroc jeta un coup d'œil à l'intérieur et distingua une lueur orange vif. Une émotion nouvelle s'empara de son gésier. Mais Nyra ne lui laissa pas le temps de la savourer.

— Fais un peu attention ! siffla-t-elle en lui donnant un coup de bec dans le dos. Ce sont les os de ton père... Tu vois celui du milieu ? La tige qui est cassée en deux ?

— Oui.

— C'était sa colonne vertébrale. Soren, ton oncle, l'a tué en brisant son épine dorsale. Je veux que tu t'en souviennes. Ne l'oublie jamais.

— D'accord.

— Promets-le-moi !

— Je te le promets, maman.

Pour Krados, les os et la mort n'avaient rien de très nouveau. En revanche, assister à une cérémonie sacrée comme une Sublimation, si ! Il s'agissait d'un honneur très supérieur aux petites faveurs que Nyra lui accordait depuis l'éclosion de Nyroc.

Après la défaite contre les Gardiens de Ga'Hoole, elle s'en était prise aux effraies « inférieures » en les accusant de tous les maux. Une effraie piquetée faisait d'ailleurs les frais de sa colère et de sa déception en croupissant en prison. Il avait bien fallu un bouc émissaire et la rage de Nyra pouvait être sans bornes. Pourtant, elle l'avait choisi lui, Krados, pour garder son fils à peine éclos tandis qu'elle chassait. Lui et Nyroc s'étaient aimés dès la première seconde, et leur amitié n'avait cessé de croître depuis, encouragée par Mam' la Générale. Krados se sentait si proche de son copain qu'il lui avait confié l'un de ses secrets les plus intimes : il détestait le nom qu'il portait chez les Sangs-Purs. Nyroc l'avait étonné en lui demandant quel prénom il préférait. Personne ne s'était jamais intéressé à lui de cette manière. Après une minute de réflexion, il avait répondu : « Philippe. Oui, Philippe, sans hésitation. » Ainsi, quand personne ne les surveillait, Nyroc l'appelait Philippe. Bien sûr, c'était un léger manquement à la discipline des Sangs-Purs. Mais, au bout du compte, ce petit défaut dans le comportement par ailleurs impeccable de Nyroc était ce pour quoi Krados l'admirait le plus. Cela le touchait même davantage que les traitements de faveur incompréhensibles que lui accordait Nyra. Quand il reprochait à son copain de prendre trop de risques, celui-ci haussait les épaules : « Ne t'inquiète pas. Au pire, je compenserai en étant deux fois plus fort pendant les entraînements. »

Malgré la réprimande de sa mère, Nyroc continua de jeter des coups d'œil en biais au forgeron solitaire et à son seau de braises, qui semblaient beaucoup l'intriguer. Décidément, l'attitude du « jeune Sang-Pur idéal » laissait à désirer ces derniers temps. Krados ne l'avait jamais vu désobéir à Nyra aussi ouvertement. Par chance, celle-ci, tout à sa dévotion, ne lui prêtait aucune attention.

— Le temps est venu d'honorer notre chef, mort en héros, psalmodia Nordu.

Nyra fit signe à son fils de reculer contre la paroi de la grotte. Pendant que le sous-lieutenant poursuivait son discours, le forgeron Gwyndor s'approcha des os. Il répandit quelques brindilles sèches et morceaux d'écorce par terre. Puis il prit une braise dans son seau et la posa sur le petit tas. Des flammes jaillirent, et l'obscurité fut troublée par des éclairs : des ombres gigantesques se mirent à bondir sur les murs. Nyroc n'en avait jamais vu d'aussi grosses. Elles se trémoussaient et sautillaient dans la lumière vacillante, formant un drôle de ballet. Il eut soudain une révélation. « L'ombre naît de la lumière ; fixe la lumière, regarde à l'intérieur des flammes », lui souffla sa conscience.

Son gésier eut un soubresaut. « Y a-t-il autre chose que les os de mon père là-dedans ? Il me semble que je distingue... Par Glaucis ! »

Les flammes lui révélèrent un paysage inconnu, arpenté par des créatures bondissantes à quatre pattes et aux yeux d'une couleur étrange. Le feu crépitait fort à présent, mais derrière les sifflements et les craquements le poussin croyait entendre des grognements sourds. Des taches sombres, telles des nappes de brouillard grises, flottaient dans l'air au-dessus des animaux. Puis l'image changea. Le gésier de Nyroc frissonna violemment. Le feu *l'appelait*. Le poussin le scruta avec insistance. Il y discernait maintenant ce qui pouvait ressembler à une flamme quelconque, orange, avec en son centre une petite langue d'un bleu vif comme un ciel d'été. Mais en y regardant de plus près, il distingua à l'intérieur un mince liseré d'une teinte différente, de la même couleur que les yeux des quadrupèdes. Était-ce du vert ? S'agissait-il d'une feuille ? Cet objet tricolore qui flottait dans les flammes ondoyantes l'hypnotisait. Il avait envie de plonger le bec le premier pour l'attraper.

Sous le regard des autres chouettes, Nyra entonna une mélopée pour les guerriers morts sur le champ de bataille. Seul Gwyndor avait la tête ailleurs. Il étudiait le visage de Nyroc.

Le poussin voyait quelque chose. Le forgeron le savait à la façon dont ses pupilles fixaient, sans ciller, le gésier du feu. Il examina son reflet dans les prunelles de Nyroc. Oh ! Était-ce le Charbon de Hoole qu'il reconnaissait dans ces jeunes yeux ?

Gwyndor, comme tous les forgerons, considérait les

feux comme des organismes vivants dont l'anatomie ne différait pas tellement de la sienne. Ainsi les feux, comme les oiseaux, possédaient un gésier où allaient se nicher d'obscurs secrets. Certaines chouettes pourvues d'un don particulier savaient les déceler et les déchiffrer. Rares étaient les élues. Gwyndor n'avait pas cette chance. Ni même Bubo, le forgeron du Grand Arbre de Ga'Hoole. En revanche, on racontait qu'Orf, qui forgeait les serres de combat les plus belles du monde sur la lointaine île du Charognard, avait ce don, ainsi que quelques charbonniers légendaires. Cependant, aucun n'avait eu la vision du mythique Charbon de Hoole. Des tas d'histoires avaient circulé à son sujet. Il renfermait des pouvoirs immenses à l'intérieur de son cœur d'un bleu profond, du même bleu que les charbons flagadants tant prisés des charbonniers pour leur intense chaleur.

Gwyndor n'aurait jamais soupçonné qu'un si petit poussin puisse lire dans les flammes. Et dire qu'il avait failli ne pas le rencontrer! Il avait commencé par refuser l'invitation des Sangs-Purs. Depuis la dernière bataille, il préférait se tenir aussi loin que possible de ces drôles de zigs et de leurs croyances absurdes sur la pureté des chouettes effraies. D'ailleurs, il avait été très surpris de voir à la cérémonie une effraie ombrée juste à côté du fils de Bec d'Acier. De son vivant, il n'existait pas un seul forgeron solitaire à des kilomètres alentour qui n'ait été appelé, à un moment ou à un autre, pour lui façonner un masque ou des griffes d'acier.

Gwyndor se rappela cette nuit où il avait finalement changé d'avis. Tôt dans la soirée, il avait rendu visite à cette mystérieuse petite chouette tachetée qui vivait avec les aigles, Brume. Depuis des années, la rumeur voulait que Brume soit en réalité la célèbre Hortense, héroïne d'Ambala, qui s'était illustrée par son immense courage en s'infiltrant dans l'orphelinat de Saint-Ægo[1]. Ses exploits appartenaient à présent aux contes et au folklore d'Ambala. Gwyndor appréciait la compagnie de Brume. Elle était âgée maintenant et si pâle qu'elle ressemblait plus à un nuage de vapeur qu'à un oiseau. Souvent, juste après l'avoir vue, le forgeron faisait des rêves étonnants. En général, il n'en gardait presque aucun souvenir le soir venu.

1. Voir livre I, *L'enlèvement*.

Après sa dernière visite, par exemple, il s'était réveillé à l'ombrée, sûr d'avoir rêvé. Sans raison apparente, il avait décidé brusquement d'accepter la proposition de Vilmor et Nordu. Il irait dans les canyons et rendrait service aux Sangs-Purs, même s'il n'aimait ni Nyra ni le reste du groupe. Ce rêve, dont il avait déjà tout oublié, avait éveillé en lui un sentiment d'urgence, un désir impérieux d'aller à Saint-Ægo. Il avait perçu un appel.

Le poussin prodige était-il à l'origine de ce revirement ? Le visage blanc de Nyroc, exceptionnellement large et si semblable à celui de sa mère, planait telle une pleine lune au milieu des ombres scintillantes de la grotte. « Oui, il s'agit de ce petit. Mais qu'attend-on de moi ? »

« Le temps te le dira, répondit une voix murmurante, comme échappée d'un songe brumeux. Le temps te le dira... »

4
La cérémonie de la Chasse

Nyroc était sorti bouleversé de la grotte. Le feu l'avait envoûté. Il avait eu l'impression que, à sa manière étrange, il lui racontait une histoire, ou du moins des bribes d'histoire. Où était ce pays mystérieux? Qui étaient ces créatures bondissantes? Et cette couleur au centre de la flamme, entre le bleu vif et l'orange éclatant, était-ce vraiment du vert? Vers la fin de la cérémonie, il avait commencé à entrevoir autre chose, confusément. Une scène effrayante avait pris vie au-dessus des brindilles crépitantes, si épouvantable en vérité qu'il avait presque fermé les yeux. Il avait senti dans son gésier que son horrible oncle Soren y était impliqué.

— Nyroc! cria sa mère. Attention! Tu n'écoutes rien du tout! Je te rappelle que nous traquons un petit tamia.

Qu'est-ce qui t'arrive ces jours-ci ? Tu es totalement déconcentré ! Ça ne va pas du tout, Nyroc. Il faut te reprendre. Si tu n'arrives même pas à suivre un écureuil, comment feras-tu avec les souris, qui sont beaucoup plus petites ? Apprends à te servir des orifices que Glaucis t'a donnés pour percevoir ce qui se passe autour de toi. Regarde comment je fais.

Nyra inclina doucement la tête dans un sens, puis dans l'autre. Nyroc répondit avec une obéissance parfaite, comme sa mère le lui avait enseigné :

— Vous avez toujours raison, Mam' la Générale. Je me suis laissé distraire, confessa-t-il d'un ton mécanique. Je n'ai pas d'excuse, à part que je suis encore bouleversé par la Sublimation de mon père, Pur parmi les Purs.

Il cligna des yeux trois fois. Quand il avait besoin de se concentrer sur un exercice, il repensait aux serres de combat qui lui étaient promises et s'en inspirait. Il les imaginait s'enfoncer dans la chair d'un adversaire ou d'une proie. Cette nuit-là, en quelque sorte, il menait son premier combat : sa cérémonie de la Chasse. Il prit exemple sur sa maman et fit pivoter son crâne en appliquant ses conseils sur les manœuvres de triangulation. En quelques fractions de seconde, il avait repéré le fuyard : son oreille gauche avait perçu le bruit de ses petites pattes juste avant la droite. Il orienta sa queue en silence et amorça une descente. Le bruissement des pas du tamia et l'écho des battements de son cœur parvinrent à ses deux orifices presque au même moment.

« Le voilà ! » Il entama un plongeon en spirale. Le sol courait vers lui, mais il garda ses yeux rivés sur le dos rayé du rongeur.

Il y eut un minuscule couinement lorsqu'il planta ses serres dans le ventre charnu du tamia – un cri de surprise plus que de douleur. Nyroc fut étonné de la quantité de sang qu'une créature d'une taille aussi dérisoire pouvait perdre. Des hourras retentirent au-dessus de lui. Il ignorait que des spectateurs assistaient à sa cérémonie de la Chasse. Vilmor, Nordu, le forgeron Gwyndor et, bien sûr, Krados formaient un cercle dans le ciel pour accueillir parmi eux le nouveau chasseur.

— Bravo ! Bravo ! Tu as eu ta première proie !

Dans l'obscurité grandissante, Nyra ramassa l'animal mort et le brandit pour faire ruisseler le sang sur la tête de son fils. Quand ils rentrèrent au nid, le visage de Nyroc était rouge sombre. Son gésier se tortillait de gêne sous l'effet de l'étrange masque qui tirait sur ses plumes en séchant.

Une célébration eut lieu cette nuit-là, sous le ciel étoilé, entre les deux aigrettes de la porte du Grand Duc. Mam' la Générale, la mine grave, discutait avec Gwyndor. Elle regarda soudain son fils. Il était seul et plongé dans ses réflexions. Les chouettes de son âge, parties s'amuser ensemble sur les thermiques, ne l'avaient pas invité à se joindre à elles. Elle vola vers lui et lui donna une petite tape affectueuse.

— Allons, ne fais pas cette tête, chéri. C'est ta fête et tu as l'air malheureux comme tout. À quoi penses-tu ?

Il hésita un instant, assez longtemps pour inventer un gros mensonge. Il savait que c'était vilain. Avant, il n'aurait jamais osé mentir, surtout à sa mère.

— Tu veux vraiment le savoir, maman ?

— Bien sûr.

— Au vert. Je pensais à la couleur verte.

Nyra plissa ses paupières. Parfois son fils la déconcertait. Il y avait chez lui un je-ne-sais-quoi qui la mettait mal à l'aise. Il était pourtant si discipliné. Elle se flattait d'avoir su développer cette qualité chez lui. Mais comment un esprit contrôlé à ce point pouvait-il réfléchir à un sujet aussi ridicule que la couleur verte ?

— Le vert ? lâcha-t-elle. C'est-à-dire ?

— Rien. Le vert, c'est tout. Je voudrais savoir à quoi ça ressemble.

— Eh bien, les feuilles sont vertes, dit-elle, exaspérée.

— Justement, je n'ai jamais vu de feuille. Tout est brûlé par ici.

— Écoute : si tu accomplis ta Cérémonie spéciale avec bravoure, je t'emmènerai voir un arbre vivant.

— C'est vrai, maman ? Oh, maman, je t'adore !

Nyra le regarda de biais. Où allait-il chercher des expressions pareilles ? Et qui lui avait appris le mot « adorer » ?

Un peu plus tard, alors qu'il surfait sur les thermiques en compagnie de Krados, il avisa sa mère sur une corniche en contrebas. Elle bavardait à nouveau avec Gwyndor, l'air absorbé.

— Krados, de quoi maman et Gwyndor parlent-ils ? Pourquoi est-il encore ici ? Je croyais qu'il devait partir après la Sublimation.

— Je ne sais pas trop. Il paraît qu'elle veut lui commander des serres de feu.

— C'est quoi, des serres de feu ?

— Les serres de combat les plus dangereuses au monde. Les forgerons insèrent une petite braise à l'extrémité de chaque griffe et, comme ça, elles infligent des brûlures et des coupures en même temps.

— Ouah ! Génial ! Tu en as déjà porté ?

Krados cligna des yeux.

— Bien sûr que non. Tu ne crois quand même pas qu'ils confieraient une arme aussi puissante à une minable effraie ombrée comme moi ?

— Oh, Philippe... murmura Nyroc. J'ai une idée ! Je vais demander à maman de t'accorder une promotion.

— C'est très gentil de ta part, mais, franchement, ça ne servira à rien.

— Pourquoi ? Elle doit t'apprécier puisqu'elle t'a laissé devenir mon meilleur ami.

— Oui, marmonna Krados.

La jeune ombrée essaya de cacher son inquiétude. Les petites attentions de Nyra continuaient de le déconcerter. Tout cela était louche et plus il y réfléchissait, plus une angoisse sourde envahissait son gésier.

5
La vérité

L'aube était fraîche. Nyroc chercha sa maman. Il aurait bien aimé se pelotonner contre son ventre doux, chaud et pelucheux. Mais elle était sortie. Quelle urgence l'avait poussée à s'absenter à une heure pareille ? Il se raidit un peu. Il pencha la tête d'un côté, de l'autre, et surprit les murmures d'une conversation qui se tenait quelques mètres sous son creux. Dans l'ombre d'un puits, il aperçut un tas de brindilles et d'écorces brisées.

— Allons, Gwyndor, disait Nyra. N'est-ce pas l'endroit idéal pour installer votre forge ? J'ai ordonné à mes lieutenants d'apporter du petit bois pour vous. Vous en avez sûrement assez pour forger quelques serres de feu.

— Ce n'est pas la question, madame.

— Alors quel est le problème ?

— C'est difficile à expliquer. Disons que je ne me sens pas très à l'aise à l'idée de fabriquer ces serres.

— Des serres de combat, qu'elles soient classiques ou pourvues de braises, ne sont pas faites pour mettre à l'aise.

— Glaucis nous a conçus avec des serres, madame. Or les serres de feu les brûlent et les écorchent. Elles infligent à leurs porteurs des blessures irréparables.

— Mais elles sont d'une efficacité mortelle ! rétorqua sauvagement Nyra.

Elle jeta un regard dédaigneux à Gwyndor, comme s'il était la chouette la plus stupide de la création.

— En effet.

— Salut, maman ! lança Nyroc en se posant près d'eux.

— Que fiches-tu ici ? Tu devrais être en train de dormir !

Gwyndor s'éloigna et feignit de farfouiller dans ses affaires.

— Je voulais juste te poser une question, maman.

— Quoi encore ?

« Encore des questions ! Toujours des questions ! Trop

de questions, pensa-t-elle, voilà ce qui cloche chez ce petit.»

— Je me demandais si... tu voulais bien réfléchir à une promotion pour Krados? Oh, pas à un poste de lieutenant ni rien de ce genre mais... sous-lieutenant, peut-être?

La femelle parut décontenancée. Puis un éclat sournois passa dans ses prunelles noires.

— Oui, chéri. C'est une excellente idée. En fait, j'y avais déjà songé. Figure-toi qu'il aura l'honneur d'une sorte de promotion lors de ta Cérémonie spéciale.

— Oh, maman, c'est génial! J'ai hâte de lui dire.

— Surtout pas! s'écria-t-elle. Cela doit rester une surprise. Personne n'est censé le savoir. Tu tiendras ta langue?

— Oui, d'accord.

— Je suis sérieuse, Nyroc. Un cui-cui malheureux et la cérémonie est annulée.

— Pardonnez-moi d'interrompre votre conversation, madame, mais j'ai changé d'avis, lança Gwyndor à brûle-pourpoint.

— Changé d'avis? À propos de quoi?

— Je vais rester et vous forger ces serres de feu, souffla-t-il en détournant les yeux.

— Gwyndor, je vous en félicite, jubila Nyra. Puis-je savoir ce qui vous a amené à reconsidérer votre position ?

— Je ne sais pas, madame... Une sorte d'intuition, je suppose.

— Eh bien, je le sais, moi, et je vais vous le dire : vous êtes revenu sur votre décision parce que vous avez compris que c'était la meilleure chose à faire.

Gwyndor cligna des yeux.

— Oui, vous avez sûrement raison, acquiesça-t-il en regardant Nyroc. Je dois cependant vous prévenir, madame, qu'il va me falloir m'absenter avant de commencer mon travail. Oh, pour une durée très brève... Le temps de trouver les bons métaux et les charbons adéquats. La fabrication des serres de feu requiert des matériaux particuliers. C'est une commande très... spéciale.

Le simple fait d'articuler le mot « spéciale » fit naître un frisson le long de son échine. Il mentait, bien entendu. Il avait tout le nécessaire. En réalité, il projetait de contacter le furet le plus proche pour obtenir un maximum de renseignements sur cette fameuse Cérémonie spéciale. Les furets étaient les agents secrets du monde des chouettes et des hiboux, ceux qui informaient les Gardiens de Ga'Hoole des méfaits accomplis dans les royaumes voisins. De nombreux forgerons solitaires endossaient le rôle de furet. Les chouettes de cette profession étaient connues pour leur caractère indépendant, libre et légèrement excentrique. Peu se présentaient sous leur véritable nom.

Gwyndor avait reçu une éducation traditionnelle ; il connaissait sur le bout des griffes les us et coutumes de tous les territoires de chouettes. Pourtant, malgré ses nombreux voyages, jamais il n'avait assisté à une Cérémonie spéciale. Cela l'intriguait et il brûlait d'en découvrir plus à ce sujet, d'autant que les Sangs-Purs entouraient cet événement d'un mystère inquiétant. Il avait entendu parler d'un nouveau forgeron solitaire installé quelque part entre la forêt des Ombres et la Lande. Avec un peu de chance, il serait aussi furet.

Le soir même, tandis qu'un beau camaïeu de gris se déployait dans le ciel, Nyroc vit Gwyndor remballer ses affaires.

— Je vous croyais déjà parti, avoua-t-il en atterrissant sur la corniche.

— Oh, non : il y a trop de corbeaux dans les parages. Ce serait risqué de voler en plein jour.

— Ah, oui. On m'a parlé des corbeaux.

— Et je parie que tout ce qu'on t'a rapporté à leur propos est exact. Quelle bande d'affreux ! Ils sont épouvantables. Il vaut mieux éviter de les croiser sous le soleil, surtout quand on est seul, tu peux me croire. Tu n'as pas le temps d'implorer l'aide de Glaucis que déjà ils te tombent dessus comme un nuage de grêle !

Nyroc étudia les outils de Gwyndor. Cette chouette masquée, capable de créer un feu et de donner au métal des formes étranges à l'aide d'un marteau et de pinces, le fascinait. Il jeta un coup d'œil au tas de charbons rougeoyants.

— Ça te plaît, hein, mon garçon ?

— Euh... oui, admit-il.

Nyroc avait l'impression que les braises étaient vivantes, et que, comme les flammes auxquelles elles donnaient naissance, elles lui montreraient des images s'il fixait avec attention leur cœur ardent. Il mourait d'envie de revoir la scène que le feu avait commencé à lui dévoiler. Un élan profond le poussait à connaître le fin mot de l'histoire. « La vérité ! » Oui, il voulait savoir la vérité sur son oncle Soren. Après tout, que pourrait-il découvrir de pire, ou de plus effrayant, que la vision de la colonne vertébrale de son père sauvagement brisée ?

Gwyndor contemplait le visage du poussin. Une émotion puissante faisait vibrer le gésier de la chouette masquée. « Je serais curieux de savoir ce que voit ce poussin... » pensa-t-il.

6
Un joli nom pour un horrible meurtre

Gwyndor s'éleva en spirale au-dessus du paysage brûlé. La femelle forgeron qu'il cherchait vivait autrefois au Pays du Soleil d'Argent. Elle avait même forgé des serres de combat pour les Sangs-Purs. Mais, d'après la rumeur, elle aurait choisi de déménager après avoir été brutalisée par un de leurs lieutenants. Depuis, elle s'était installée près de la frontière entre la forêt des Ombres et la Lande. Mais où exactement ? Il devrait se fier à son intuition pour la retrouver. Les forgerons solitaires possédaient un instinct très sûr quand il s'agissait de localiser un de leurs collègues. Certains endroits les attiraient plus que d'autres. Avant tout, ils aimaient les grottes cachées au milieu de hautes futaies, de préférence à l'abord d'une jeune forêt. Cette dernière leur fournissait du menu bois pour leurs feux, tandis que les futaies, avec leurs arbres bien espacés, permettaient à la fumée de mieux s'évacuer.

Ensuite, ils appréciaient les ruines des châteaux et des églises des Autres. Le forgeron solitaire du Pays du Soleil d'Argent habitait autrefois de superbes ruines. Gwyndor se demanda si quelqu'un avait repris l'emplacement depuis son départ. Comme il se trouvait presque sur son chemin, il décida de faire un léger détour. Si le champ était libre, peut-être viendrait-il lui-même y établir sa forge une fois qu'il aurait quitté les Sangs-Purs pour de bon ? Il avait hâte que tout cela soit terminé. Il se sentait plus léger à mesure qu'il s'éloignait de ces brutes. Moins il les voyait, mieux il se portait. Cependant, il tenait à revenir avant cette fameuse Cérémonie spéciale. Pour le petit. Si par malheur il échouait à retrouver sa camarade forgeron, il irait interroger Brume à Ambala. La chouette tachetée était une informatrice bien renseignée et fiable. Mais, dans ce cas, il lui faudrait prier pour que les rafales venues de l'est à cette période de l'année ne le retardent pas trop...

Lorsque la constellation des Serres d'Or apparut, Gwyndor survolait déjà le Pays du Soleil d'Argent. Il se dirigeait droit vers les ruines où la femelle forgeron avait jadis élu domicile.

— Par Glaucis ! marmonna-t-il en avisant des volutes de fumée dans la nuit. Quelqu'un m'a devancé !

Il en eut la confirmation en entendant le bruit familier d'un marteau. Ses coups répétés sur l'enclume faisaient trembler les étoiles. Gwyndor amorça un virage avant de se laisser glisser vers le sol. Un grand feu brûlait. Il distingua le forgeron à l'œuvre avec ses pinces. Mieux valait éviter de l'interrompre au beau milieu de son travail. Ce pouvait être dangereux. Alors la chouette masquée atterrit sur un muret, bâti du temps des Autres pour délimiter une roseraie, puis elle attendit patiemment.

Le forgeron était en train de donner forme à une sorte d'objet décoratif assez sophistiqué. Depuis la défaite des Sangs-Purs, les commandes d'armes avaient baissé. Il plongea son œuvre, chauffée au rouge, dans une cuvette en pierre remplie d'eau. Ensuite, il fit volte-face. Gwyndor cligna des yeux, éberlué. C'était elle – la femelle harfang du Pays du Soleil d'Argent ! Son plumage d'un blanc de neige était recouvert de suie et de cendres.

— Il me semblait bien que j'avais entendu quelqu'un, dit-elle.

— Vous êtes revenue ! s'exclama Gwyndor.

— Évidemment. C'est le meilleur emplacement des Royaumes du Sud. Je n'allais pas l'abandonner à cause de ces imbéciles. Il ne reste plus grand-chose de cette racaille maintenant et les survivants sont partis se planquer dans les canyons, d'après ce que j'ai compris.

— C'est exact.

La femelle harfang leva le bec d'un air intrigué.

— Vous semblez bien informé.

— Oui. À dire vrai, ils ne sont pas étrangers à ma visite.

— Ne me demandez pas de forger quoi que ce soit pour ces crapules. La guerre est terminée. D'ailleurs, je ne fais plus dans les armes. Maintenant je m'intéresse à... (elle ménagea une pause dramatique) ... à l'art.

Elle brandit ses pinces pour lui montrer une drôle de petite spirale en fer forgé.

— Qu'est-ce que c'est ?

— C'est de l'abstrait. Vous savez, je descends d'une famille d'artistes, on a ça dans les gènes.

Gwyndor hocha la tête. Il avait entendu dire que la sœur de cette femelle forgeron était la célèbre chanteuse du Grand Arbre de Ga'Hoole.

— Et ça sert à quoi ?

— À rien. À me faire plaisir.

— À vous faire plaisir ?

— Oui, cette raison me paraît suffisante. Pourquoi ne forgerait-on que des machins utiles ?

Mais Gwyndor n'était pas venu assister à une conférence sur l'art moderne. Il coupa court à ces digressions d'un ton pressant :

— Bien entendu. Hum ! Écoutez, si je suis ici... eh bien, c'est que... Comment vous expliquer...

— Commencez par me dire ce que vous fichiez en compagnie de ces crétins des canyons.

La chouette masquée soupira de soulagement. Voilà qui ressemblait plus à cette bonne vieille femelle harfang ! Son langage cru était célèbre dans tous les Royaumes du Sud. Gwyndor lui raconta son histoire aussi clairement que possible. Une fois qu'il eut terminé, il leva les yeux et rencontra son regard fixe.

— Attendez, que je comprenne bien : vous êtes allé à Saint-Ægo parce que vous sentiez que Brume le voulait, sans qu'elle vous l'ait dit ? (Il hocha la tête.) C'est vrai qu'elle a certaines façons d'influencer vos décisions, l'air de rien. Et d'après vous, cet oisillon aurait l'Œil de Grank ? Il saurait lire les flammes ? (Gwyndor acquiesça de nouveau d'un signe de tête.) Eh bien, mon ami, je peux vous dire qu'aucun liseur de flammes n'a éclos depuis plus d'un siècle, excepté Orf. Ils sont extrêmement rares. Mais poursuivez. Vous aviez une importante question à me poser, je crois ?

— Oui, souffla Gwyndor. Vous voyez, ce p'tit gars... Il s'appelle Nyroc.

— Logique, fit le harfang avec dédain. Sa mère s'appelle Nyra, n'est-ce pas ?

— Oui. Espérons que ce poussin ne tournera pas comme ses parents... Bref, comme je vous le disais, Nyroc a passé toutes les cérémonies habituelles avec succès. Il vient juste d'attraper un beau petit écureuil bien dodu lors de sa cérémonie de la Chasse.

— Mouais, jamais été très portée sur les écureuils en ce qui me concerne, grommela la femelle. Ils me donnent des gaz.

— En tout cas, il lui reste une dernière cérémonie à accomplir. Et, pour être honnête, je n'avais jamais entendu parler de celle-là.

— Hein ? Normalement, après la Chasse, il y a la cérémonie de la Mousse. Une des plus sympathiques, d'ailleurs ! Les poussins aiment bien chercher les mousses les plus douces pour le creux. C'est comme un jeu. Je m'en souviens, j'adorais ça !

— Sauf qu'il n'y a plus de mousse dans les canyons. Alors peut-être ont-ils remplacé un rituel par un autre ? Je ne sais pas.

— Quel est son nom ?

— La Cérémonie spéciale.

La dame harfang minoucha. Elle rétrécit tout à coup de moitié et, sous le coup de l'émotion, elle lâcha ses pinces.

— Non ! souffla-t-elle.

Dès qu'elle eut repris ses esprits, elle se tourna vers Gwyndor.

— Suivez-moi dans mon creux. J'ai de l'hydromel. Ça passe bien par une nuit fraîche comme celle-ci. J'essaierai de vous expliquer de quoi il retourne.

Ils se faufilèrent par un trou dans le muret, traversèrent une ancienne courette puis survolèrent un escalier qui menait à une cave.

— Vous habitez un endroit charmant, la complimenta Gwyndor.

— Je crois qu'il s'agissait d'un cellier. J'ai fait mon nid dans cette barrique là-bas. Son parfum est très agréable. Un peu de campagnol avec votre hydromel ?

— Avec plaisir.

Tandis qu'ils mangeaient, le harfang observait Gwyndor d'un air songeur.

— On m'a raconté des choses horribles. Des choses vraiment épouvantables ! Figurez-vous que, pour s'intégrer chez les Sangs-Purs, pour devenir un officier, il faut tuer. Mais pas au combat.

La voix de la femelle forgeron s'éteignit et le sang de Gwyndor se glaça dans ses veines.

— Vous voulez dire qu'ils doivent assassiner sans raison ? Sans faim ?

— Oui. Je ne vous parle pas de chasse, mais de meurtre.

— De meurtre ! murmura Gwyndor. Alors... ils tuent un des nôtres ?

— Il paraît que Soren était la victime désignée pour la Cérémonie spéciale de Kludd. Afin d'être accepté des Sangs-Purs, il a poussé son petit frère du nid en espérant que la chute le tuerait, ou qu'un prédateur terrestre se chargerait de l'achever. Il n'avait pas imaginé qu'une patrouille de Saint-Ægo passerait par là et l'emmènerait.

— Enfin, il n'allait quand même pas tuer son propre frère ?

— Si, c'est exactement ce qu'il comptait faire. Bien sûr, ils n'appellent pas ce rituel la cérémonie du Meurtre. Non, ils disent « Tupsi ». C'est plus joli.

— « Tupsi » ? Nom de Glaucis, qu'est-ce que ça signifie ?

— Quelque chose du genre « Test Ultime et Purificateur du Sacrifice d'Intégration ».

— C'est monstrueux ! Je dois en parler à Nyroc immédiatement.

Gwyndor repoussa sa cruche d'hydromel, prêt à partir.

— Je ne pense pas que ce soit une bonne idée, glissa la dame harfang sur un ton énigmatique.

— Comment cela ? Pas une bonne idée ? À ma place, que feriez-vous ? Vous resteriez les pattes croisées en laissant cette bande de criminels transformer un adorable poussin en brute sanguinaire, à l'image de son père ?

— Il est des leçons qu'il vaut mieux apprendre par soi-même.

Gwyndor cligna des yeux.

— Je ne comprends pas.

Toujours plus mystérieuse, elle rétorqua :

— La vérité doit être révélée, pas simplement dite.

« Complètement marteau, celle-là », pensa Gwyndor.

7

Pinces et marteau !

« Un assassinat, ni plus ni moins ! Même avec un joli nom, ça reste un assassinat. Tupsi, je t'en ficherai ! » Gwyndor volait vers les canyons sous les premières chutes de neige de la saison. En temps normal, il aurait adoré être dehors par une nuit pareille. Le premier quartier de la lune se devinait à peine, mince fil lumineux qui flottait derrière les nimbus mouvants. De gros flocons pelucheux dérivaient lentement dans le ciel gris-bleu foncé. Il aimait les regarder tomber au ralenti, tourbillonner, entraînés par une mélodie entendue d'eux seuls. Gwyndor, lui, était porté par une pensée obsédante : il devait rentrer au plus vite à Saint-Ægo pour épargner au jeune Nyroc l'épreuve de la Tupsi. Un dénommé Porkas moisissait dans les geôles de Nyra depuis la fin de la guerre. Gwyndor avait cru comprendre que les accusations portées contre lui étaient discutables. Il n'y avait pas prêté attention au début ; l'Union tenait les effraies piquetées en piètre estime et les accusait de tous les maux. Mais maintenant, il se demandait si Porkas n'était pas destiné à être sacrifié lors de cette odieuse cérémonie. Le poussin prodige deviendrait-il à cette occasion l'assassin parfait ? Le bourreau idéal ? Une fois dressée pour tuer, une chouette aussi talentueuse que Nyroc et dotée du pouvoir extraordinaire de lire les flammes deviendrait extrêmement dangereuse. Elle mettrait en péril l'univers des chouettes et des hiboux. Le forgeron avala sa salive avec effort. « Grand Glaucis, il serait cent fois plus redoutable que son père ! »

Hélas ! Que pouvait-il y faire ? Il fut tenté de retourner à Ambala demander conseil à Brume. Mais la chouette tachetée avait d'étranges manies ; elle ne donnait jamais de recommandations.

Le vent d'est tourna soudain au sud, puis au sud-ouest.

— Oh, par Glaucis ! Fichues sautes de vent ! Voilà que je l'ai de face !

Gwyndor perdit de la vitesse. Il n'arriverait jamais aux canyons avant l'aube ! Il devait s'accrocher, pourtant, et continuer d'avancer. C'était une question de vie ou de mort. Il fallait empêcher la cérémonie !

Serait-il lui-même obligé de tuer pour la saboter ? Le forgeron faillit piquer dans les orties. Il prit une profonde inspiration et puisa dans son gésier un regain d'énergie. Il dessina une arabesque dans le ciel et mit le cap sur le sud-ouest, vers la porte du Grand Duc. L'encre noire de la nuit commençait à se diluer. Le soleil ne tarderait pas à se lever et, avec lui, les ennemis des oiseaux nocturnes isolés.

L'étoile du matin brillait au-dessus de l'horizon lorsqu'il entendit des battements d'ailes derrière lui. « Des corbeaux ! » Son sang ne fit qu'un tour. « Ça y est, cette fois, je pique dans les orties », se résigna-t-il. Alors qu'il dégringolait à pic, il se produisit quelque chose d'inattendu. Son gésier sembla se regonfler sous l'effet d'une rage soudaine. Il mit un terme à son plongeon et rebondit sur un courant d'air. Puis il tourna la tête pour évaluer la distance qui le séparait de ses poursuivants. Ils étaient proches ! Et en supériorité numérique : trois corbeaux pour une chouette. Cela ne présageait rien de bon.

D'abord, il devait se débarrasser de ses ustensiles qui l'alourdissaient. S'il les lâchait, il perdrait les charbons ardents de premier choix que le forgeron solitaire du Pays du Soleil d'Argent lui avait offerts. Il lui vint une autre idée. Le temps pressait et la manœuvre n'était pas simple, mais si les soldats pouvaient voler en brandissant des branches enflammées, pourquoi n'y arriverait-il pas avec ses outils ?

Il repéra une corniche droit devant. Il atterrit en hâte, posa son précieux seau rempli de charbons et sortit ses instruments. Les corbeaux étaient presque sur lui ! Il décolla et commença à faire de grands moulinets avec son marteau. De l'autre patte, il agitait une braise qu'il tenait fermement au bout de ses pinces. Il toucha un premier adversaire à l'aile gauche. Celui-ci croassa et une odeur de brûlé se dégagea de ses plumes roussies. Ses deux compagnons cependant ne se laissèrent pas impressionner. Gwyndor sentit un choc au niveau de ses rectrices. Il se mit à vaciller. Avec la queue endommagée, il lui serait difficile de garder son équilibre. Sale coup. Des gouttes de sang éclaboussèrent le ciel.

Il fit volte-face. Le corbeau blessé était déjà de retour. « Grand Glaucis ! » Une rafale emporta les quatre oiseaux jusqu'à une dépression au cœur des bourrasques. Gwyndor repéra un dos noir juste sous lui. Il scintillait comme une enclume polie. De toutes ses forces, le forgeron abattit son marteau. La colonne vertébrale du corbeau se brisa en deux, telle une brindille sèche. Ses acolytes s'enfuirent sans demander leur reste avec des croassements terrifiés.

Gwyndor était épuisé. Il perdait de l'altitude. « Je dois continuer... Je dois continuer... Il faut que je voie Nyroc avant qu'il soit trop tard. »

À l'aube rouge sang succéda le jour, puis au jour la nuit – une nuit opaque, hantée par des ombres et des mauvais rêves. Les corbeaux se transformaient en hagsmons, les démons de Hagsmire, l'enfer des chouettes ; ils ressemblaient à des flaques de vapeur plus noires qu'une nuit de nouvelle lune. Gwyndor gémissait de douleur et de crainte.

8

La vie est ainsi faite

— Sais-tu ce que sont les scromes, mon poussin? s'enquit Nyra.

— Je crois. Euh... maman, je vole, maintenant, et j'ai tué ma première proie. Tu es obligée de continuer à m'appeler « poussin » ?

— Tu as raison. Mais il te faut encore passer ta cérémonie Tupsi. Après, c'est sûr que je ne pourrai plus dire « mon poussin » ! s'exclama-t-elle en chuintant doucement. Ni « mon petit ». Car tu seras devenu un vrai soldat.

— Tupsi... Ce mot sonne bien, affirma Nyroc.

— Cela signifie : Test Ultime et Purificateur du Sacrifice d'Intégration.

— C'est quoi, un « sacrifice d'intégration » ? Qu'est-ce qu'on va me demander ?

— Je t'expliquerai plus tard, mon chéri. Mais d'abord : la leçon sur les scromes. Un scrome est un esprit qui ne trouve pas le repos car sa mission sur terre n'est pas terminée.

Nyra cligna des paupières. Ses prunelles noires, brillantes et polies comme les galets des rivières, semblaient regarder très loin, dans un autre pays, un autre temps, une autre nuit. Il sembla soudain à Nyroc que sa mère avait quelque chose d'inquiétant. Pour la première fois, il eut peur d'elle. Pas comme lorsqu'il la décevait lors d'un exercice ou qu'il posait une question insolente. Non, là, c'était différent. Elle entra en transe et se mit à chantonner d'une voix éraillée :

Trois scromes vinrent à moi
Et m'apprirent que Nyroc serait roi.
Après sa Cérémonie spéciale,
Il accédera à la gloire impériale.

Les yeux de Nyroc s'illuminèrent.

— Tu penses que je vais devenir roi, maman ? Commandant suprême, comme mon père ?

— Oui, mon fils. Dès que tu auras accompli ta Cérémonie spéciale.

— Mais en quoi consistera-t-elle ?

— Tu devras réaliser un acte de courage, un acte de sang.

— Un acte de sang ? Un sacrifice ?

— Le sacrifice implique de se séparer de quelque chose qui tient vraiment à cœur.

— J'ai compris ! C'est comme... tuer une proie quand on a faim et puis se retenir de la manger ?

— Pas exactement, mais tu y es presque, répondit Nyra, les yeux luisants. Je t'expliquerai plus en détail à mesure que le moment approchera.

« Un sacrifice de mille-pattes ? » songea Nyroc. Il adorait les mille-pattes. C'était un de ses mets préférés. Cependant, il sentait au fond de son gésier que ce ne serait pas des mille-pattes. D'ailleurs, ces bébêtes ne saignaient pas. Alors peut-être un renard ? Ou un animal encore plus gros ? Ou bien le prisonnier ? L'idée le traversa, mais elle lui sembla si absurde qu'il l'écarta aussitôt.

Il y avait sûrement un lien avec les serres de combat

de son père, en tout cas. Oui, sans nul doute. Il lui faudrait tuer avec les armes du Grand Tyto. Sa maman les avait mises de côté pour lui. Elles étaient très spéciales, tout comme le masque d'acier accroché dans leur creux. Ce masque lui donnait les chocottes. Chaque fois qu'il le regardait, il minouchait un peu. En revanche, les serres puissantes et acérées l'attiraient et l'inspiraient. Il travaillait dur pour les mériter. Elles stimulaient son ambition et excitaient son ardeur. Glaucis seul savait à quel point elles étaient précieuses à ses yeux.

— En premier lieu, poursuivit Nyra en le fixant sans ciller, tu dois apprendre à haïr.

— Haïr ? Pour quoi faire ?

— Parce que la haine donne de la force, mon chéri. Une grande force.

— Mais je n'ai jamais rien haï.

— Laisse faire le temps, mon poussin. Je t'aiderai. Nous sommes tous capables de haïr. La vie est ainsi faite.

Malgré ses efforts pour rester impassible, Nyroc minoucha face à sa mère. Il tenta de se donner du courage en ravivant le souvenir des serres de combat de son père.

— Tu m'aideras ?

— Évidemment, je suis ta mère. Les mamans servent à ça, n'est-ce pas ? Écoute-moi bien. Tu sais qui est Soren ?

— Oui, c'est mon oncle. Celui qui a tué papa.

— Eh bien, tu vois, c'est facile.

Un éclair passa dans les prunelles de Nyroc.

— Oh, oui, c'est facile ! s'écria-t-il, excité. Je le déteste déjà, maman.

Un tableau séduisant se forma dans son imagination : il avait chaussé les serres du Grand Tyto et lacérait le dos de son oncle jusqu'à l'os. Sa colonne vertébrale se cassait et le sang coulait à flots.

Nyra guettait la réaction de son fils ; elle scruta ses yeux sombres et durs, les mêmes que ceux de son père. « Des yeux de tueur ! » La ressemblance avec Kludd lui coupa le souffle.

— Simple comme bonjour, lança-t-elle. Néanmoins, les prochaines leçons seront plus dures.

« Alors, voilà, c'est ça, haïr », pensa Nyroc avec émerveillement. En fait, il trouvait cela assez naturel. Une chaleur qu'il n'avait jamais ressentie envahit son corps. C'était une émotion très forte.

— Oui, bien, l'encouragea Nyra. Hais-le de toutes tes forces. Et souviens-toi des os brisés de ton père chaque fois que tu entendras prononcer les mots « Gardiens de Ga'Hoole ».

— D'accord, maman. Je te le promets.

— Jure-le sur les serres, murmura-t-elle.

Il sautilla jusqu'aux griffes de métal pendues au mur et leva une patte.

— Je le jure sur les serres du Grand Tyto. Je les haïrai.

— Et tu les tueras, souffla Nyra.

— Et je les tuerai, répéta-t-il.

Nyra jeta un œil dehors et vit le gris de l'aube déteindre sur la nuit.

— C'est presque l'heure de la rosée. Va te coucher, mon poussin. Sache que je suis fière de toi.

Un doute subsistait toutefois en Nyra. Elle ignorait pourquoi. Elle avait noté l'éclat cruel qui illuminait les prunelles de son fils, deux diamants noirs qui lui rappelaient tant Kludd. Il était son poussin prodige, un modèle de perfection tytonique. « Le gésier de ce garçon est encore trop tendre à mon goût. Trop tendre... Si je pouvais seulement l'assécher davantage, lui injecter un peu plus d'audace, un peu du soufflard de son père. Pourtant ses yeux... Ce sont bien les yeux d'un tueur... non ? »

9
Chouettes des terriers à la rescousse

Les chouettes des terriers regardaient avec stupeur le forgeron tombé du ciel, avec son seau plein de charbons, ses pinces et son marteau. Kalo, la fille aînée, rejoignit le reste de la famille à l'intérieur de leur tanière.

— As-tu récupéré tous les charbons ? lui demanda son père.

— Je crois, papa. Le dernier était caché sous le bord d'un gros rocher.

— Tant mieux, il sera soulagé en apprenant ça.

— J'espère qu'il va bientôt se réveiller. Il gémit comme s'il faisait des cauchemars atroces.

— Je l'ai entendu crier, et puis délirer à propos de

scromes et de corbeaux, dit la mère. À mon avis, ce sont des corbeaux qui l'ont blessé. Ils commencent toujours par attaquer les rectrices.

— Quand je pense que l'agression a eu lieu juste au-dessus de nos têtes et qu'on ne s'en est pas rendu compte, soupira le papa pour la troisième fois.

— Harry, rouspéta Myrte, sa compagne, qu'est-ce que ça aurait changé ? Tu ne sais même pas combien ils étaient. À cette heure-ci, on serait peut-être tous blessés. Voilà ce qu'on aurait gagné.

— Et si on les avait battus ? répliqua Harry. Tu vois, c'est l'éternel problème quand on vit sous terre...

Ce monsieur des terriers était un original. Depuis quelque temps, il tentait de persuader les siens de prendre une résidence secondaire dans un arbre.

— Harry, nous avons déjà eu cette conversation des millions de fois, gronda la femelle.

— Myrte... commença-t-il.

Elle leva les yeux au plafond, car elle connaissait la suite par cœur.

— ... est-il nécessaire de te rappeler que le myrte est un arbre ? Tu serais dans ton élément !

Elle cligna des paupières, exaspérée.

— Et moi je te rappelle qu'une chouette effraie dénommée Coquelicot habite dans les parages. Tu crois que son compagnon essaie de la convaincre de s'installer au milieu d'un champ de fleurs sauvages ?

— Et moi, intervint Kalo, je ne veux pas être la seule chouette des terriers de mon âge à habiter dans un arbre. Mes copains vont se moquer de moi. C'est nul.

Trop occupés à se chamailler gentiment, ils ne remarquèrent pas que Gwyndor commençait à bouger.

— Où suis-je ? demanda-t-il d'une voix basse et rauque.

— Ciel ! Il s'est réveillé ! s'écria Myrte.

— Monsieur, dit Harry en faisant un pas vers lui, vous êtes dans notre terrier. Il semblerait que vous soyez tombé du ciel.

— Mes braises ! Mes braises ! cria Gwyndor, enroué.

— Ne vous inquiétez pas, le rassura Myrte en se penchant sur lui. Notre fille, Kalo, est sortie les ramasser.

— Combien en a-t-elle trouvé ?

La demoiselle se plaça à côté de sa mère.

— Neuf, monsieur, répondit-elle. Ainsi que votre marteau, vos pinces et votre seau.

Soulagé, Gwyndor se laissa retomber sur les peaux de lapin soyeuses.

— Avez-vous été attaqué, monsieur ? s'enquit Harry.

— Oui. Par trois corbeaux.

— Trois contre un ! chuchota Myrte. Et vous avez survécu !

— Grâce à vous, sans aucun doute.

— Vos blessures ne sont pas si vilaines. Nous allons envoyer Kalo chercher des vers de terre frais pour vous panser, proposa le père, qui ajouta aussitôt en haussant le ton : Les serpents domestiques sont difficiles à dénicher par ici. Ils préfèrent les arbres, je suppose.

Là-dessus, il jeta un regard entendu à sa compagne.

— Suffit, Harry ! Notre fille vaut largement une femelle serpent quand il s'agit de déterrer des lombrics.

— Je vous remercie mais je dois repartir immédiatement, dit Gwyndor en tentant de s'extirper du tas de fourrures.

Il avait oublié combien les chouettes des terriers étaient douées pour chasser le lapin avec leurs longues pattes musclées et leurs serres affûtées. Elles se régalaient de sa chair puis gardaient sa peau duveteuse en guise de tapis. « Une coutume fort agréable », songea-t-il.

— Repartir ? Vous n'êtes pas sérieux ? s'exclama Harry.

— On ne peut plus sérieux. Je dois parvenir à destination dès que possible.

Stupéfaits, tous les membres de la famille écarquillèrent les yeux en voyant le forgeron se mettre debout, puis tituber jusqu'à ses outils.

— Je vous suis infiniment reconnaissant de votre aide et de votre accueil généreux.

— Mais, monsieur... insista Harry.

— Non, je dois y aller. Je n'ai pas une seconde à perdre. Au revoir, et que Glaucis vous garde.

Sur ces mots, il disparut ; un instant plus tard, un bruissement d'ailes indiqua qu'il venait de décoller.

10

Un battement d'ailes à la fois

Par chance, les vents contraires s'étaient calmés. Tandis que la porte du Grand Duc se profilait à l'horizon, Gwyndor s'autorisa enfin à ralentir l'allure. Il repassa son plan dans sa tête. La première partie était facile. Il tenait sa ruse pour attirer Nyroc à l'écart du groupe et lui parler seul à seul. « Mais après ? » s'interrogea-t-il. Comment s'y prendre pour annoncer à un poussin à peine éclos que sa mère lui imposerait de tuer une autre chouette de sang-froid ? Il lui restait encore de nombreux points à éclaircir dans sa stratégie. Il devait progresser battement d'ailes après battement d'ailes. Une chose à la fois, comme lui disait toujours sa maman. Les paroles de la femelle forgeron continuaient de le troubler : « Il est des leçons qu'il vaut mieux apprendre par soi-même. »

— Absurde ! marmonna-t-il.

Étape numéro un : installer la forge. En réalité, comme il n'avait pas l'intention de fabriquer des serres de feu, peu importait l'endroit. Ses idées se mirent en place petit à petit. Dès qu'il aurait révélé à Nyroc le véritable sens de la Cérémonie spéciale, il lui faudrait fuir. Sous peine d'être tué. Il inviterait le poussin à le suivre. Gwyndor n'aimait pas beaucoup la compagnie mais rien ne l'empêchait d'indiquer un lieu sûr au petit. Malgré son jeune âge, Nyroc ressemblait comme deux gouttes d'eau à sa mère. Le premier venu l'identifierait. Or, les Sangs-Purs n'étaient guère appréciés dans les royaumes de chouettes et de hiboux.

Soudain, un appel retentit.

— Ô gué ! Le forgeron solitaire est de retour ! annonça une des sentinelles perchées sur les aigrettes du Grand Duc.

Gwyndor descendit en spirale vers l'avant-poste. Nyra et plusieurs de ses soldats se rassemblèrent sur une corniche pour l'accueillir. Il chercha en vain Nyroc parmi eux. Arrivait-il trop tard ? Il l'aperçut enfin sur une petite saillie, apparemment en pleine forme. Et même rempli de joie. Il venait sans doute d'être félicité pour un nouvel exploit.

— Bienvenue, monsieur ! lança Nyra. Vous devez avoir tous les ustensiles adéquats, maintenant ?

— Oui, madame. Il ne me manque plus qu'une forge. (Il jeta un coup d'œil en biais à Nyroc.) Puis-je me permettre une suggestion ?

— Laquelle ?

— J'aurai besoin d'aide pour m'installer.

— Bien entendu, acquiesça-t-elle en se tournant vers le sous-lieutenant. Nordu ?

— Oh, madame, c'est très aimable de votre part, l'interrompit Gwyndor, mais je me demandais...

— Quoi encore ?

Nyra se hérissait dès qu'on osait remettre en cause ses ordres.

— J'aurais souhaité que votre fils, Nyroc, puisse m'assister.

— Nyroc ? Pourquoi lui ?

— Eh bien... je crois qu'il a le don du feu.

Nul ne comprenait, en dehors de Gwyndor lui-même, la véritable portée de cette révélation. Si Nyroc était réellement capable de lire dans les flammes, son don surpassait de loin le talent naturel d'un simple forgeron.

— Vous pensez qu'il pourrait apprendre le métier ?

— Absolument. Il ferait un forgeron plus que convenable. Il est sans doute né pour commander une armée mais ne pourrait-il pas aussi apprendre l'art de la forge, et l'enseigner le moment venu ?

Un frisson parcourut l'assemblée.

— Voilà une proposition inattendue. Ce serait une aubaine pour nous. Si vous avez vu juste.

— Je me trompe rarement sur ce genre de choses, madame. Je lui transmettrai les rudiments. Il pourra ensuite former d'autres forgerons. Ainsi vous pourrez commander toutes les serres de combat et de feu que vous voudrez.

Les prunelles de Nyra s'embrasèrent. Elle ébouriffa ses plumes et afficha une mine satisfaite.

— Approche, Nyroc, dit-elle.

Les autres chouettes s'écartèrent pour le laisser passer.

— As-tu entendu le forgeron ?

— Oui, Mam' la Générale, répondit-il.

— Tu pourrais commencer ton apprentissage aussitôt après ta Cérémonie spéciale.

— Quand aura-t-elle lieu, madame? s'enquit Gwyndor d'un ton détaché.

— Demain soir.

— Hum. C'est très malheureux.

— Quel est le problème?

— Je dois faire partir mes feux sans plus tarder. J'ai apporté des charbons très particuliers. Ils ne pourront pas attendre. La première étape dans l'éducation d'un apprenti est de savoir reconnaître un bon emplacement pour bâtir une forge. La seconde consiste à positionner les charbons.

— Ah. Dans ce cas, je ne vois aucun mal à ce qu'il vous accompagne dès maintenant.

— À la bonne heure! répondit Gwyndor.

Il tenait enfin sa chance de parler à Nyroc seul à seul! Il ne regrettait pas d'avoir bravé les vents contraires et les corbeaux. Sauver un poussin valait bien tous les sacrifices du monde. Les paroles sages de sa mère résonnaient dans sa conscience. « Oui, battement d'ailes après battement d'ailes, nous y arriverons. »

11

Le libre arbitre

Nyroc était fou de joie. « Qui aurait pu deviner que ce forgeron voudrait de moi comme apprenti ? Il dit que je possède le don du feu. Je me demande ce que ça signifie... »

Ils franchirent une crête rocailleuse située par-delà la porte du Grand Duc. Ils volaient depuis un bon moment déjà lorsque la chouette masquée se prépara à atterrir.

À la grande surprise du poussin, elle se posa sur une saillie en altitude. Il n'y avait pas la moindre grotte en vue.

— Drôle d'endroit pour une forge, dit Nyroc.

Gwyndor hésita à tout déballer tant la vérité lui chatouillait le bec. « Petit Nyroc, il n'y aura pas de forge », pensa-t-il. Mais une fois de plus, les mots du harfang lui revinrent en mémoire. Peut-être ce poussin devait-il arriver à ses propres conclusions ? Et s'il faisait un feu et laissait parler les flammes ? La vérité marquerait son esprit plus sûrement si elle venait du feu. Elle lui irait droit au gésier.

— C'est vrai, tu as raison, répondit-il. Cet endroit est mal adapté. J'avais juste besoin d'un peu de repos. Mon voyage a été difficile. J'ai dû revenir avec des vents de face.

Nyroc le dévisagea, dubitatif. Le forgeron solitaire mentait. Il avait été sur le point de lui dire quelque chose d'important puis il s'était ravisé. Quelle chouette étonnante... Cousines des effraies communes, les effraies masquées arboraient le même disque facial en forme de cœur. Mais tandis que celui de Nyroc était d'un blanc pur, un masque sombre recouvrait le visage de Gwyndor. Son bec portait de nombreuses taches noires, un signe distinctif chez ceux qui consacraient leur vie à la forge. Sur ses pattes, les quelques rares tiges de plumes que le feu avait épargnées laissaient entrevoir de minces genoux noueux. Ses serres étaient rugueuses et noircies par l'usage des pinces et du marteau. Gwyndor déploya ses ailes et décolla, aussitôt imité par Nyroc. Ils ne tardèrent pas à tomber sur le lieu idéal : une cavité à la base d'une falaise. Le vieux mâle se mit à gratter le sol terreux pour creuser un petit foyer peu profond. Il sortit quelques brindilles de ses affaires, puis attrapa des charbons encore rouges et brûlants. Nyroc ne put retenir un frémissement quand les premières flammes se mirent à lécher le petit bois.

— Approche, mon garçon, ordonna Gwyndor.

Nyroc fit un pas. La chaleur ne le dérangeait pas. Immobile, il scruta le cœur des flammes. Celles-ci dansaient, sautillaient de-ci de-là, et au milieu de leur petite ronde naissaient des formes, des silhouettes, des histoires troublantes et familières. Gwyndor observa avec intensité la jeune chouette, dont les yeux devenaient vitreux. « Regarde bien, mon enfant, fixe-les. Il faut que tu sois courageux. N'aie pas peur de ce que le feu va te révéler. » Il garda ces pensées pour lui, bien évidemment. Au plus profond de son gésier, il savait que le forgeron solitaire du Pays du Soleil d'Argent avait raison.

Le monde se mit à tournoyer autour de Nyroc. Sous l'effet de la détresse, une pelote jaillit de son bec, suivie d'une autre.

— Allons, du calme, chuchota Gwyndor en lui tapotant le dos.

— Pourquoi m'avez-vous amené ici ? demanda Nyroc d'une voix tremblante. Qu'est-ce qui se passe ?

— Je ne peux pas te le dire.

— Pourquoi ?

— Tu trouveras toutes les réponses que tu cherches dans le feu.

Le poussin se força à contempler de nouveau le ballet des flammes. Gwyndor voulait l'encourager, mais il était si effrayé lui-même qu'il en resta muet. Au bout d'un moment, l'oisillon recula et regarda froidement le forgeron. Il semblait avoir vieilli d'un coup.

— J'ai vu des choses, murmura-t-il. Des choses que je ne comprends pas. Que je ne peux pas croire... à propos de mes parents et des Sangs-Purs.

« Et de la Cérémonie spéciale ? » Gwyndor se pinça les mandibules et retint sa question.

— Pourquoi est-ce que je vois ces images ?

— Je n'en sais rien.

— Reflètent-elles la vérité ?

— Je ne saurais te le dire.

— Vous ne savez pas ou vous ne voulez pas me répondre ?

— Je ne veux pas, avoua Gwyndor à contrecœur. Nyroc, si c'est moi qui te le dis, tu ne me croiras qu'à moitié. On ne croit vraiment que lorsqu'on découvre la vérité au fond de soi, de son gésier, de son cœur, de son esprit. Elle n'a aucune force si on la profère simplement, comme un ordre.

Nyroc cligna des yeux.

— Mais pourquoi les Sangs-Purs feraient-ils ce que j'ai aperçu dans les flammes ?

— Écoute... Les Sangs-Purs ont certaines idées... un peu curieuses, souffla le forgeron d'une voix à peine audible.

— Curieuses ? Dans quel sens ?

— Prends leur définition du courage par exemple, ou du pouvoir. (Gwyndor secoua la tête de frustration.) Je ne peux pas te l'expliquer. J'ai du mal à les comprendre moi-même.

Un silence de mort se fit tandis que chacun se réfugiait dans ses réflexions. Quelques instants plus tard, Gwyndor eut une illumination.

— Mon garçon, t'a-t-on déjà parlé de la pension pour chouettes orphelines de Saint-Ægolius ?

— Oh, oui, nous l'avons envahie longtemps avant mon éclosion. Il y avait plein de paillettes là-bas.

— Eh bien, en plus de la réserve de paillettes, il existait un endroit appelé le *glaucidium* où les oisillons étaient déboulunés.

— Déboulunés ? Qu'est-ce que c'est ?

— Dans le *glaucidium*, on obligeait les petits orphelins à marcher et à dormir sous la lumière éblouissante de la pleine lune. Cela brisait leur volonté et les transformait en esclaves dociles. Ils ne pouvaient plus ni penser ni prendre de décision. Ils perdaient leur volonté, leur libre arbitre.

— Leur... libre arbitre ? répéta Nyroc à voix basse.

« Mais quel est le rapport ? s'interrogea-t-il. Cela se passait à l'époque où les chouettes de Saint-Ægo dirigeaient l'orphelinat. C'est fini depuis que les Sangs-Purs les ont battues. »

Gwyndor attira le poussin près de lui. Les ombres du crépuscule glissèrent sur le masque sombre de la chouette masquée. Son bec était encore plus noir vu de près, et un peu tordu.

— Mon petit Nyroc, toi aussi, tu as ton libre arbitre. Tu peux réfléchir, peser le pour et le contre, écouter ton gésier et faire ce que tu crois être bon. Tu peux décider de ton avenir.

« Décider de mon avenir... » Ces paroles l'effrayèrent. Elles sonnèrent dans son esprit comme un terrible présage.

— Mais je veux juste devenir un bon Sang-Pur, le meilleur qui ait jamais existé, dit-il. Je dois mériter les serres de combat de mon père et leur faire honneur à la guerre.

Les parois de la grotte lui renvoyèrent l'écho d'une jeune voix mal assurée et pleine de doute. De toutes ses forces, il appela à son secours l'image exaltante des serres tranchantes et bien astiquées qui l'attendaient dans son creux. Là, il les voyait presque ! Mais leur éclat se voila et elles finirent par sombrer dans une épaisse nappe de brouillard. Il examina les flammes une dernière fois et ne put s'empêcher de minoucher. Il n'était pas plus gros qu'un rameau fragile à présent.

— Que vois-tu, mon garçon, que vois-tu ? murmura Gwyndor.

— Rien, répondit-il en s'éloignant du feu.

Il mentait. Pire, il se mentait à lui-même. Le désespoir envahit la chouette masquée.

— Nyroc, le temps presse.

L'oisillon lui tourna le dos, sautilla jusqu'à l'entrée de la grotte et le quitta sans un mot.

Cette nuit-là, au cours de leur ronde quotidienne au-dessus des canyons, Nyra fut intriguée par le manque d'attention et le silence inhabituels de son fils.

— Quelque chose te perturbe, mon chéri ?

— Non, rien.

Ils survolaient les gorges étroites et déchiquetées qui abritaient jadis les chouettes de Saint-Ægo. Nyroc baissa les yeux et demanda :

— C'est là qu'était le *glaucidium* autrefois, maman ?

— Eh bien... oui. Qui t'en a parlé ?

— Je ne sais plus. J'ai peut-être entendu ce mot dans une conversation...

Nyra tressaillit.

— Et qu'as-tu entendu à ce sujet, au juste ?

— Une histoire à propos d'orphelins qu'on déboulunait pour qu'ils ne puissent plus réfléchir.

— Ils étaient sans doute incapables de réfléchir avant, de toute façon, déclara Nyra avec dédain. Il y avait très peu d'effraies parmi eux.

— Hum, fit Nyroc.

Sa mère lui jeta un regard soupçonneux.

— Maman, raconte-moi encore une fois la nuit où mon père a été tué.

— Bien sûr, chéri. C'était au cours de la bataille du Grand Incendie. Les chouettes de Ga'Hoole nous avaient sauvagement attaqués. Elles étaient bien plus nombreuses que nous et mieux armées. Malgré notre supériorité dans l'art du combat au feu, elles nous ont vaincus. Ton père, cependant, s'est battu vaillamment. Avec un petit groupe de soldats, il a pourchassé les plus féroces guerriers de Ga'Hoole. Malheureusement, les traîtres l'ont piégé à l'intérieur d'une caverne où un grand nombre d'ennemis l'attendaient. Il a été pris par surprise, vois-tu. Dans un accès de frénésie, Soren s'est jeté sur lui et lui a brisé la colonne vertébrale en le frappant avec son épée de glace. C'est arrivé si vite qu'aucun des Sangs-Purs n'a eu le temps de... de...

— De réfléchir ? proposa Nyroc.

Le visage de Nyra s'assombrit. Elle n'aimait pas le tour que prenait cette discussion. Pas du tout.

— Ils n'ont pas eu le temps de s'organiser et d'obéir aux ordres, riposta-t-elle sèchement.

« Un Sang-Pur ne peut-il agir que lorsqu'il reçoit un ordre ? Ne peut-on jamais penser par soi-même ? » s'interrogea Nyroc. Il eut la sagesse de garder ses questions pour lui. D'ailleurs, il connaissait déjà la réponse. Ce qu'il avait vu dans les flammes ne ressemblait en rien à la scène que Nyra venait de lui décrire. Soit c'était le feu, soit c'était sa mère qui mentait. Il était temps pour lui d'apprendre la vérité.

12

Du sang au milieu des flammes

Une brume d'aurore mouillait le paysage calciné tandis que Nyroc se dirigeait vers son creux dans la falaise. Encore tout chamboulé par son entrevue avec Gwyndor, il atterrit sur une petite avancée.

Il fit un pas à l'intérieur du nid. Sa maman avait étoffé son lit de lichen et ajouté quelques plumes de duvet neuves arrachées à sa poitrine. À présent, elle dormait profondément dans son coin. Il la contempla en se remémorant la première fois où il l'avait vue arracher des plumes fines, une à une, de son ventre.

— Ça ne fait pas mal ? avait-il demandé, étonné.

— Non, pas quand on le fait pour son bébé.

Privée de son compagnon, recluse dans un pays ravagé

par les flammes où les mousses soyeuses ne poussaient plus nulle part, elle avait dû s'enlever deux fois plus de duvet que les autres mères. Il s'était demandé s'il serait capable d'un geste aussi généreux. Il n'aimait pas souffrir et il n'arrivait pas à imaginer que l'amour pour son poussin puisse atténuer la douleur. Lorsque ses premières rémiges avaient commencé à percer sa chair tendre, il s'était beaucoup plaint.

« Maman, ce que j'ai aperçu dans le feu, dis-moi que c'est faux », eut-il envie de lui murmurer. Des tas de souvenirs s'emmêlaient dans sa mémoire jusqu'à lui donner la nausée – les images qu'il avait découvertes dans les flammes, à l'endroit où était mort son père ; la promesse de Nyra de l'emmener voir un arbre vert après sa Cérémonie spéciale ; ce regard étrange qu'elle lui avait jeté quand il lui avait dit qu'il l'adorait, comme si elle ne connaissait pas ce mot... Et puis, ces terribles paroles : « Tu dois apprendre à haïr, Nyroc. Je t'aiderai. »

Le feu venait de lui révéler de nouvelles histoires, plus sanglantes les unes que les autres. Dans la première, son père, qui semblait alors plus jeune que Nyroc, poussait son frère Soren du nid. Dans la deuxième, sa mère tentait d'assassiner une femelle qui ressemblait beaucoup à Soren – sa sœur peut-être ? Il avait entrevu des déchaînements de violence inouïs au-dessus du charbon crépitant. Pour finir, la grotte où Kludd avait perdu la vie lui était apparue. Mais son oncle ne portait pas le coup fatal ; au contraire, Bec d'Acier était sur le point d'éliminer son frère quand une grosse chouette lapone, d'un geste puissant, avait abattu une épée scintillante sur son dos.

Il devait quitter les Sangs-Purs et s'éloigner de sa mère, le temps de réfléchir à tout cela. Il ne pourrait plus dormir tranquille tant qu'il n'aurait pas vérifié si les flammes disaient la vérité. Impossible de partir seul, cependant. Krados connaissait la géographie et le climat des autres royaumes. Il savait naviguer par tous les temps. Nyroc se fit soudain la remarque que les Sangs-Purs avaient bêtement gâché ses talents. Il avait survécu à un feu de forêt, traversé la fumée et l'air vicié avec son père, et pourtant, on le traitait comme un ignorant, un inutile, un bon à rien. Eh bien, lui ne se montrerait pas si sot. Il prendrait Krados avec lui. « D'ailleurs, pensa-t-il, je ne l'appellerai plus jamais Krados. Il s'appelle Philippe.

Ensemble, Philippe et moi, nous allons découvrir la vérité. »

Une fois qu'il lui aurait expliqué son projet, ils déguerpiraient sur-le-champ. Tant pis si le soleil était déjà au-dessus de l'horizon ; ils prendraient le risque de croiser des corbeaux. De se perdre dans le dédale des gorges de Saint-Ægolius. De provoquer la colère de sa mère.

Juste avant de s'élancer, il se retourna et regarda Nyra, assoupie dans l'ombre du petit matin. C'était une très belle femelle, la plus belle qu'il connaisse, malgré la fine cicatrice qui lui barrait le visage. « Je m'en vais, se dit-il. Je quitte ma petite vie et tout ce en quoi je croyais : le moelleux de mon tas de duvet, la fraîcheur de mon creux de pierre en été et la protection qu'il m'offrait contre les vents mordants en hiver. Je ne verrai plus ces belles corniches, ces à-pics rocheux, ni les couleurs flamboyantes qui ruissellent parfois dans leurs interstices. Terminés, les gros rats que maman attrape si facilement et les succulents renards que je n'oserai jamais chasser moi-même. Je quitte ma mère, la chasseuse. Ma mère, la tueuse. »

13
La chouette et les corbeaux

Philippe dormait sur un perchoir de pierre à l'autre bout de la falaise. Il occupait un de ces creux inconfortables réservés aux effraies « inférieures », face aux vents dominants. Nyroc se pencha tout près de l'orifice de l'oreille de son ami.

— Réveille-toi ! Philippe ! chuchota-t-il en le secouant.

— Quoi ? Quoi ? Oh... salut, Nyroc. C'est encore le matin, qu'est-ce que tu fais ici ? Tu n'arrives pas à dormir ?

— Non. Il faut qu'on parte. Maintenant. Je t'expliquerai.

— Hein ? Pourquoi ?

Le temps pressait.

— Écoute, c'est une sorte de quête. Une quête de

vérité, ajouta Nyroc d'un ton solennel. J'ai besoin de ton aide. Et je voudrais te poser des questions, mais pas ici.

L'effraie ombrée cligna des yeux, étonnée. C'était une chose d'escorter partout l'héritier de l'Union, et une autre de l'accompagner en égal au cours d'une quête – une noble quête de vérité. Oui, ce que son ami lui demandait avait un petit air de noblesse qui lui plaisait.

— Mais comment s'évader? Et les corbeaux?

— On n'a pas le choix, répliqua Nyroc.

— Pendant la bataille du Grand Incendie, j'étais posté à l'extrémité des canyons. Je connais bien ce territoire. En plus, il vaudrait mieux éviter de passer sous le bec des sentinelles de la porte du Grand Duc. Nyroc... Quelle est cette vérité dont tu parles et où veux-tu la chercher?

Le poussin ignora la première partie de la phrase et se concentra sur la seconde.

— Je ne sais pas trop. Peut-être la Lande? Ou la forêt d'Ambala. (Il inspira profondément.) Ou le Grand Arbre de Ga'Hoole.

Il s'étonnait lui-même! Il venait de prononcer tout haut les mots « Grand Arbre de Ga'Hoole »! Philippe était abasourdi.

— Le Grand Arbre !

« C'est de la folie ! » pensa-t-il. Néanmoins, il garda son commentaire pour lui et, prenant un air grave, il dit :

— Nyroc, il est strictement interdit d'évoquer le Grand Arbre de Ga'Hoole. Tu sais à quel point cet endroit est horrible.

— Non, justement. Et je veux découvrir la vérité par moi-même.

— Par toi-même, répéta Philippe avec admiration.

Cela lui parut un peu bizarre et, en vérité, dangereux.

— Pourquoi pas ?

— Eh bien, d'abord parce que le chemin le plus direct pour l'île de Hoole traverse une zone de courants d'air terribles qu'on appelle les Broyeurs. Des vents hagsmiresques. Seuls les Gardiens de Ga'Hoole savent les négocier. Ils ont l'habitude de voler par tous les temps et ce sont des navigateurs hors pair.

— On ne peut pas choisir un autre itinéraire ?

Philippe cligna des yeux. « Ce poussin est devenu maboule ! Il pense qu'il peut se présenter chez nos pires ennemis comme ça ? En plus, il est le portrait craché de sa mère ! » Mais comment allait-il le lui faire comprendre sans lui briser le cœur ? Le pauvre petit ne pourrait jamais vivre en paix ailleurs que parmi les siens. Il ressemblait trop à ses parents, qui étaient redoutés et haïs dans tous les royaumes. Des rumeurs commençaient même à circuler à propos du scrome de Bec d'Acier. Philippe avait surpris une conversation entre Nordu et Molos à ce sujet.

— Nous verrons cela plus tard. D'ailleurs, tu trouveras peut-être tes réponses sur le trajet.

— Oui, c'est ce que je pensais. Il faut simplement que nous nous éloignions pour quelque temps.

« Ou peut-être pour toujours », songea Nyroc.

C'est ainsi que, sous les feux du soleil, tandis que les Sangs-Purs se reposaient dans leurs creux, Nyroc et Philippe prirent la route du nord. Les deux garçons suivaient les thermiques chauds qui les propulsaient vers l'avant.

— Ils sont faciles à naviguer, dit Nyroc.

— Faciles pour nous, et très embêtants pour les oiseaux qui arrivent d'en face. C'est pour cette raison que les Sangs-Purs ne s'attendaient pas à ce que les

Gardiens de Ga'Hoole viennent de cette direction la nuit où ils ont attaqué, d'autant qu'ils ont débarqué par les Aiguilles.

— « Les Aiguilles » ?

— Tu les apercevras bien assez tôt. Elles délimitent la frontière sud de la zone où soufflent les Broyeurs.

— Je suis sûr que nous trouverons un autre moyen d'atteindre le Grand Arbre.

Philippe resta muet. Moins il encouragerait son ami dans ses projets fous, mieux ils se porteraient tous les deux.

Quelques instants plus tard, Nyroc découvrit les pics rocailleux rouges qui semblaient transpercer le ciel. Les chouettes tournèrent à l'est et longèrent une grande falaise. Soudain, ils virent un nuage noir surgir du mur de pierre.

— Des corbeaux ! hurla Philippe.

Les ailes de Nyroc se raidirent. « Par Glaucis, je vais piquer dans les orties. » Un de ses pires souvenirs remonta brusquement à la surface de sa conscience. Sa mère, un jour où elle était très en colère après lui car il n'avait pas parfaitement réussi ses exercices, l'avait traité de « gésier dégonflé ». C'était la chose la plus méchante qu'elle lui ait jamais dite. « Tu es un trouillard, une poule mouillée, un gésier dégonflé ! avait-elle jeté d'un cri perçant. Où est ton soufflard, bon sang ! Honte à toi ! Tu ne vaux pas une pelote. Tiens, tu ne vaux même pas mieux qu'un mou du croupion. »

« Non, je ne suis pas un gésier dégonflé ! » se dit-il.

Il entendit alors les pas précipités d'un rat qui détalait entre les cailloux. Sans réfléchir, il plongea et exécuta une spirale vertigineuse, oubliant qu'il s'agissait là d'une proie beaucoup plus grosse que celles qu'il pourchassait d'habitude. Est-ce l'instinct qui lui souffla de frapper la nuque ? Son bec acéré délivra un coup fatal. Ensuite, il ramassa le rongeur mort dans ses serres.

— Qu'est-ce que tu fabriques ? lui demanda son ami.

— Aide-moi à soulever ce rat. Il est plus lourd que moi.

La chouette ombrée saisit l'animal par la queue.

— Les corbeaux sont presque sur nous, je te signale.

Quand Philippe se rendit compte que Nyroc se tournait vers leurs agresseurs, il faillit avoir une crise cardiaque. Mais les corbeaux aussi reçurent un choc.

— Vous voulez ce rat ? leur cria Nyroc. Il est à vous.

Le sang de la bête avait recouvert ses disques faciaux blancs, lui faisant un masque rouge sombre qui lui donnait un air terrifiant.

— Suivez-nous, lança-t-il en se dirigeant vers une saillie rocheuse, non loin de là.

Il se posa sur la pierre et lâcha le rat mort entre ses pattes. Les corbeaux affamés se mirent à planer au-dessus de sa tête.

— Nyroc, tu peux m'expliquer à quoi tu joues ? gémit Philippe.

— On va s'en sortir, Philippe. Écoute ça.

« Je suis tout ouïe », pensa l'effraie ombrée en observant son compagnon avec étonnement. Nyroc enflait de seconde en seconde. Il avait adopté la posture classique du « héripaon », une attitude menaçante qu'on obtenait en ébouriffant son plumage et en gardant la tête baissée, le cou tendu, et les ailes déployées légèrement inclinées vers l'avant pour que le dessus soit orienté vers l'adversaire. Il faisait à présent le double de sa taille normale.

— Vous ne voulez pas de nos os creux et de nos plumes. Ce rat est bien meilleur que nous et il est assez dodu pour vous tous.

La jeune effraie balançait la tête en sifflant et en claquant des mandibules entre ses phrases.

« Il a eu une idée de génie », admit Philippe. Les corbeaux étaient de piètres chasseurs, meilleurs pour malmener les autres oiseaux que pour attraper une proie. En général, ils devaient se contenter des restes du festin d'un plus gros prédateur. Ils goûtaient rarement de la viande fraîche et juteuse. Nyroc ébaucha un geste d'intimidation connu des seules effraies communes. Il se plia en deux et se mit à secouer la tête très vite au ras du sol.

— Le rat est à vous si vous nous garantissez un voyage tranquille, reprit-il.

Le chef des corbeaux l'étudiait. Que déciderait-il ? Sa bande finit par se poser sur un rebord, juste en face des deux chouettes.

— Il dégouline encore de sang. Vous feriez mieux de vous dépêcher si vous voulez en profiter.

Des secondes interminables s'écoulèrent, puis les corbeaux s'approchèrent.

— Pas si vite ! cria Nyroc.

« Grand Glaucis ! se dit-il. Je parle comme un adulte ! » Philippe aussi paraissait impressionné.

— Vous n'en aurez pas une bouchée tant que vous n'aurez pas envoyé un messager informer les autres corbeaux que nous avons un laissez-passer pour la journée.

Qui aurait cru qu'une jeune effraie, à peine sortie de l'enfance, puisse à elle seule tenir à distance toute une volée de corbeaux ? Et pourtant ! Le succès de sa négociation électrisa le gésier de Nyroc. « Ça marche ! Ça marche ! »

Les deux amis reprirent la route, rassérénés, au coucher du soleil. Mais à cette heure-ci le plus redoutable des dangers commençait juste à s'éveiller.

14
Comme du vulgaire gibier

Nyra s'étira dans son nid de pierre.

— Très étrange, murmura-t-elle en remarquant la litière vide de Nyroc. Où est-il passé ?

« Si seulement il était en train de chasser notre souper, pensa-t-elle. Il est temps qu'il apprenne à faire sa part de corvées. Ce ne serait pas trop tôt. »

Tous les soirs depuis l'éclosion de son fils, Nyra rapportait une souris ou un rat pour la finegoulette. Elle méprisait ses responsabilités de mère, celle-là en particulier. Il fallait toujours nourrir le poussin, arranger le nid, faire ceci, faire cela... C'était clairement une tâche pour deux, trop lourde pour une pauvre veuve. Elle baissa les yeux sur sa poitrine, presque nue à force d'en arracher tout le duvet. Quelle piteuse allure !

— Oh, Kludd ! soupira-t-elle.

Elle se juchait à l'entrée du trou lorsque Molos, l'un de ses meilleurs capitaines, vint à passer.

— Alors, c'est le grand soir ! lança-t-il.

— Oui. Je crois bien que mon brave garçon est allé chasser notre repas.

— C'est un bon petit. Tel père, tel fils, hein ?

Sitôt qu'il eut prononcé ces mots, il comprit son erreur.

— La mère n'y serait-elle pour rien ? cracha-t-elle.

— Oh, si, madame, bien sûr que si, balbutia Molos en faisant demi-tour pour s'excuser.

— Appelle-moi générale. Mam' la Générale, si tu veux. Mais générale au minimum. Ne l'oublie pas, Molos.

— Oui, ma générale. Je n'y manquerai pas, ma générale.

— Bien, fit-elle en hochant la tête.

Au moment où Molos se sauvait, Blyrric, un sergent borgne, atterrit sur une corniche à mi-chemin entre le creux de Nyra et celui de Nordu.

— Quelqu'un a-t-il vu Krados ?

Nyra eut un mauvais pressentiment.

— Tu as vérifié le creux des effraies ombrées ? demanda-t-elle.

— Oui, madame... Enfin, Mam' la Générale, se corrigea-t-il.

— Selon vous, Nyroc est parti chasser, n'est-ce pas, ma générale ? intervint Nordu.

— Je l'espère, répondit-elle calmement.

Mais la peur et la colère commençaient à envahir son gésier. Elle se rappela le comportement étrange de Nyroc la veille, et ses silences troublants interrompus par des questions saugrenues. Aurait-il malencontreusement appris quelque chose au sujet de sa Tupsi ? Il était capital que la cérémonie reste mystérieuse et secrète jusqu'à la dernière minute. Et si elle avait eu raison à propos de son fils, si une poule mouillée se cachait sous l'armure étincelante de perfection ? Elle avait souvent entendu les poussins envieux murmurer que Nyroc était trop beau pour être vrai. Peut-être avaient-ils vu juste, au bout du compte.

L'angoisse la submergea. Son gésier se tordait douloureusement, prêt à exploser.

— Comment a-t-il pu me faire ça? hurla-t-elle.

Son cri strident manqua de provoquer un éboulement sur la falaise.

— Un gésier dégonflé! Une fiente de mou du croupion! Bien que mon sang coule dans ses veines, il m'a abandonnée comme la progéniture de n'importe quel minable!

La rage de Nyra éclata face au soleil couchant qui se répandait sur l'horizon, tel un jaune d'œuf crevé.

Tout fut mis en œuvre pour retrouver les fugueurs dans les plus brefs délais. Molos, le meilleur traqueur, fut aussitôt envoyé en reconnaissance avec pour mission de repérer des pelotes fraîches ou tout autre signe attestant le passage des jeunes chouettes. « Si seulement on avait avec nous un des membres du squad de battue de Ga'Hoole, songea Nyra. Mais cela n'arrivera pas... »

Nordu sembla lire dans ses pensées.

— Ma générale, dit-il, nous pourrions solliciter l'aide d'autres traqueurs.

— Doc Bonbec, par exemple? suggéra-t-elle avec un regain d'espoir.

— Pourquoi pas ?

— Je te charge de l'affaire, Nordu. Si tu mets la patte sur le poussin, tu seras colonel.

Épuisés après de longues heures de vol, Nyroc et Philippe venaient d'atterrir sur l'arête déchiquetée d'un canyon vertigineux lorsqu'ils aperçurent leurs poursuivants.

— Un commando ! J'y crois pas, s'étrangla Philippe.

— Un commando ? Qu'est-ce que tu veux dire ?

— Molos est parti en éclaireur, comme d'habitude. Ta mère a envoyé un détachement pour nous traquer comme du vulgaire gibier et nous capturer ! Il faut filer, *tout de suite* !

— Comment ont-ils retrouvé notre piste ?

— Nous aurions dû enterrer nos pelotes. À partir de maintenant, fini de cracher en plein vol !

— Mais quand même ! murmura Nyroc.

— Suis-moi.

— Philippe, qu'est-ce que tu fais ?

— En bas !

Des ombres denses se massaient au fond du ravin.

— Pourquoi ?

— Je t'expliquerai plus tard. Méfie-toi des serpents à sonnette au moment de l'atterrissage !

— Des serpents à sonnette ?

Les crotales – c'était leur autre nom – attaquaient souvent les oiseaux qui s'aventuraient trop près du sol à la poursuite des rongeurs. Dès que l'un d'eux bondissait sur sa proie pour l'achever aussitôt d'un coup de bec fatal, le crotale surgissait de nulle part et frappait. Il s'enroulait autour des pattes et des serres du prédateur pour le neutraliser, puis il sifflait et plongeait ses crochets au milieu de la poitrine de sa victime pour lui injecter son venin. C'était, paraît-il, une mort atroce. Négocier avec des corbeaux était une chose, mais des serpents à sonnette ? Jamais de la vie.

Les jeunes chouettes se posèrent avec précaution.

— Reste près du mur, conseilla Philippe. Ne crache pas de pelote et surtout, pas un bruit.

— Qu'est-ce qu'on va faire ? demanda Nyroc d'une voix étouffée.

— Chercher un terrier vide.

Toutes sortes d'animaux, des plus petits aux plus gros,

peuplaient les canyons. Avec un peu de chance, ils tomberaient vite sur une tanière. Ils marchaient depuis quelques secondes à peine quand ils entendirent un faible crissement de grains de sable. « Fryke ! » pensèrent-ils à l'unisson. C'était un mot d'ordre, sans doute originaire des Royaumes du Nord, qui signifiait : on se camoufle et plus un geste. Nyroc avait reconnu le sifflement du crotale avec certitude, bien qu'il n'en ait jamais entendu auparavant. Le serpent était tout proche. Le plumage des effraies s'aplatit, leur gésier se ratatina et elles semblèrent maigrir de seconde en seconde. Elles attendirent, un œil fermé, l'autre guettant le danger à travers une minuscule fente entre les paupières – on appelait le second « l'œil furtif ».

Le serpent à sonnette rampait à une distance de quelques bonds. Décoller trahirait leur présence sans les mettre forcément à l'abri. Un pur réflexe de survie leur disait de rester camouflés. C'était leur unique espoir. Leurs coloris mouchetés – fauve, marron et noir pour Nyroc ; pour Philippe, marron et gris cendré – constituaient une parfaite tenue de camouflage dans les canyons.

Nyroc entendait toujours le commando s'agiter au-dessus de leurs têtes. Il savait qu'ils ne pouvaient pas défryker jusqu'à ce que le crotale soit parti pour de bon. Plusieurs minutes interminables s'écoulèrent avant qu'ils rouvrent grand les mirettes et se remettent à marcher avec une extrême prudence dans l'ombre de la paroi de pierre, le dos collé à la roche. Ils avancèrent ainsi pendant une heure, sans même oser regarder devant leurs pattes le lit du ravin inondé par le clair de lune. Alors que la nuit devenait fraîche, ils finirent par tomber sur quelque chose.

— C'est une tanière de renard, affirma Philippe en s'introduisant dans la falaise.

Nyroc le suivit puis se tint immobile le temps d'adapter sa vue à l'obscurité.

— Oui, je confirme, ajouta Philippe en remarquant une touffe de poils roux sous sa patte. À mon avis, il s'agit d'une tanière de mise bas.

— Une quoi ? demanda Nyroc.

— Les renards sont curieux pour ça. Ils ont plusieurs maisons en fonction de leurs activités. À la saison où ils accueillent leurs portées, ils habitent un terrier particulier.

— Et c'est la saison de la *mise bas* en ce moment ? fit Nyroc, la gorge serrée par l'angoisse.

— Non, heureusement. Ne t'affole pas. Cet endroit est vide, je peux te l'assurer.

Il cligna des yeux.

— Tu es hyper-intelligent, Philippe. Je suis vraiment content que tu sois venu avec moi.

— Je suis juste plus vieux. J'ai un peu plus d'expérience, voilà tout. Mais regarde-toi ! Tu avais déjà été attaqué par des corbeaux ?

— Non, admit-il.

— Est-ce que tu avais déjà rencontré des corbeaux, pour commencer ?

— Non.

— Alors d'où t'est venue l'idée de leur offrir un rat contre un laissez-passer pour la journée ? Sûrement pas de ton expérience.

— Je ne sais pas. Je me suis concentré et j'ai réfléchi à fond.

— Eh bien, c'est *ça*, être hyper-intelligent.

— Décris-moi ce que tu as vu avant d'arriver à Saint-Ægo, Philippe. Je veux tout savoir. Moi, je ne connais que les canyons brûlés. Je n'ai même pas aperçu le moindre arbre vivant et gorgé de sève. S'il te plaît, parle-moi du reste du monde.

Philippe se recueillit un instant, puis commença ainsi :

— J'ai vu un renard bondir sur un tapis de neige par une belle matinée d'hiver. Je n'oublierai jamais l'éclat de son pelage roux. J'ai vu un aigle attaquer un loup. (Nyroc écarquilla les yeux, ébahi.) Une fois, j'ai assisté à la noyade d'un ourson dans une rivière ; sa mère enrageait, sanglotait et maudissait l'eau, qui un jour calmait sa soif et le lendemain lui volait son petit. J'ai surpris une maman renard et ses bébés en train de sortir d'une tanière comme celle-ci. Et puis... hésita-t-il, et puis j'ai vu mon père s'emparer d'un des renardeaux pendant que la mère avait le dos tourné. Et, avec papa, on l'a mangé parce qu'on était presque morts de faim.

— C'est vrai, Philippe ?

— Oui.

Nyroc prit soudain conscience qu'il ignorait tout de

la vie de son meilleur ami. Des dizaines de questions lui brûlaient le bec.

— Comment as-tu atterri chez les Sangs-Purs ? Et pourquoi ? Tu n'avais pas de maman ? Tu ne parles toujours que de ton père.

— C'est une longue histoire, Nyroc. En plus, j'ai faim.

— Mais on ne peut pas sortir chasser maintenant.

— Les tanières de ce genre sont spacieuses et profondes. Il y a forcément des souris qui traînent quelque part. Dès qu'on sera rassasiés, je t'écouterai.

— Moi ?

— Tu as promis de me fournir des explications au sujet de cette quête de vérité. Nous risquons nos vies, ici, et j'ai le droit de savoir pourquoi nous sommes partis.

Nyroc ravala sa salive, puis il articula lentement :

— As-tu déjà découvert des images dans un feu ?

— Non, jamais, répondit l'effraie ombrée en secouant doucement la tête, pas très sûre de comprendre ce que son copain voulait dire par là.

— Moi, si. Gwyndor pense que j'ai peut-être un don appelé l'Œil de Grank.

— L'Œil de Grank! s'écria Philippe, à la fois émerveillé et un peu troublé. Je crois que j'en ai entendu parler. Nyroc... toi? Toi, tu aurais l'Œil de Grank?

— Oui. Et j'ai vu des choses horribles dans les flammes.

— Comme quoi?

— La mort de mon père.

— Ah! Ne dis plus rien! Ne dis plus rien!

Philippe enfouit la tête sous son aile pour boucher les orifices de ses oreilles.

— Sinon, je vais mourir, poursuivit-il.

— Ça va te tuer de savoir que ce n'est pas mon oncle Soren qui a tué papa, mais une énorme chouette lapone? Je ne pige pas.

Après quelques secondes d'hésitation, la chouette ombrée se décida enfin à relever le crâne.

— Quand tu as éclos, on nous a ordonné de ne jamais, jamais reparler de ce qui s'était passé lors du dernier affrontement contre les Gardiens de Ga'Hoole. Le premier qui désobéissait était condamné à mourir sur-le-champ.

— Alors c'est vrai. Et tout le monde le savait – sauf moi.

— Oui, Nyroc.

— Il n'y a pas eu de guet-apens pour attirer mon père et ses troupes dans la grotte, hein ?

— Non. En fait, c'est plutôt le contraire qui s'est produit. Les Sangs-Purs ont piégé les Gardiens à l'intérieur. Ils avaient pris en otage un des meilleurs amis de ton oncle, une chouette des terriers – Spéléon, je crois.

— Raconte.

— Soren et ton père se livraient un combat acharné. Ils échangeaient des coups, attaquaient et contre-attaquaient. Soren se battait avec une épée de glace tandis que Kludd portait des serres de feu. Il paraît que ton oncle a hésité à un moment crucial. On aurait dit qu'il ne pouvait pas se résoudre à tuer son propre frère. Et là, il y a eu comme un éclair d'argent dans la grotte. C'était la chouette lapone...

Philippe acheva son récit. Il coïncidait exactement avec la vision de Nyroc. Un silence de mort emplit la tanière.

— Ce n'est pas tout, finit par lâcher Nyroc. J'ai aussi vu ma mère participer à un massacre. Un véritable bain de sang. Et elle ne se battait pas à la loyale. À un moment, elle poursuivait une jeune femelle effraie désarmée qui ressemblait beaucoup à Soren.

— Ce doit être Églantine, sa sœur.

— Alors j'ai une tante ? Maman a voulu la tuer, elle aussi ?

— Des rumeurs circulent. Les forgerons solitaires, par exemple, rapportent des histoires étonnantes, qu'on n'a pas le droit de répéter chez les Sangs-Purs. Certains disent qu'Églantine avait écrasé l'œuf que Nyra avait pondu à l'époque. J'étais très jeune quand j'ai intégré les Sangs-Purs. Certains des événements que le feu t'a révélés ont pu se dérouler quand j'étais trop petit pour comprendre, ou même avant mon arrivée. En tout cas, pour moi, ça n'a toujours été que des ragots.

— Et que sais-tu du Grand Arbre de Ga'Hoole ?

Philippe ferma les yeux un moment.

— Oh, qu'est-ce qui me prend de te raconter tout ça ? Tu te rends compte que je ne pourrai plus jamais retourner chez les Sangs-Purs ?

— Est-ce que tu en as envie ?

— Bonne question, soupira-t-il. Et toi ?

— Pas avant de connaître la vérité.

— Bon, d'accord. Je ne suis pas allé vérifier mais voici ce que j'ai entendu. Le Grand Arbre de Ga'Hoole est un endroit très spécial, comme les légendes de Ga'Hoole. Là-bas, on encourage les chouettes à penser par elles-mêmes. Elles prennent leurs propres décisions. Elles apprennent à lire, à écrire et aussi à élucider de grands mystères.

— Quel genre de mystères ?

— Les mystères de la science, du vent, du feu, de la glace ou encore des étoiles. Ils savent expliquer comment les astres se déplacent dans le ciel, par exemple. Ils fabriquent des armes avec du fer, mais aussi à partir d'autres matériaux plus complexes. Des tas de chouettes différentes vivent ensemble là-bas. Les effraies ne sont pas considérées comme les plus intéressantes ou les meilleures. Il y a des chouettes tachetées, des harfangs et des chouettes des terriers qui occupent des postes importants. Même des chevêchettes communes et des chevêchettes elfes !

— Des chevêchettes !

Nyroc était abasourdi.

— Rien n'est franchement interdit, continua Philippe.

— Pas de sujet scronqué ?

— Non, aucun. Il paraît qu'une fois une vieille chouette des terriers a voulu scronquer un livre de la bibliothèque. Eh bien, figure-toi qu'elle a été punie.

La mandibule de Nyroc se décrocha d'étonnement. Il en resta sans voix.

— Mais, je le répète, insista son ami, je ne sais pas ce qui est sérieux et ce qui a été inventé.

— À ton avis, c'est vrai qu'ils mangent des œufs pour se donner du courage ?

— Non. Celle-là, je n'y ai jamais cru !

— Je ne sais plus quoi penser, avoua Nyroc d'un air mélancolique. Et si le feu inventait des histoires ? Et si ce que tu as entendu était faux ?

Il jeta un regard inquiet à Philippe.

— Je suis aussi perdu que toi, Nyroc.

Le poussin soupira.

— D'accord. À ton tour, maintenant. Tu as promis !

Et l'effraie ombrée se lança dans le récit tragique de sa vie. Mais dans un coin de sa tête, elle ne put s'empêcher de songer que l'enfance de Nyroc était peut-être plus triste encore que la sienne.

15
L'histoire de Philippe

— Nous venions du Pays du Soleil d'Argent, une des plus belles forêts du monde des chouettes.

— Une forêt ? Avec des arbres couverts de feuilles vertes ?

— Oui, ou d'aiguilles, comme dans le cas des épicéas, des pins et des sapins. Tu n'en reviendrais pas de la quantité d'arbres qu'il y a là-bas.

— Non, surtout moi qui n'ai jamais vu d'arbre...

— Euh, oui... En tout cas, c'est une forêt splendide. Mais de temps en temps, des incendies se déclarent.

— C'est horrible, souffla Nyroc en imaginant les bois transformés en plaines aussi sèches et stériles que les canyons de Saint-Ægo.

— Pas tant que ça, en réalité. Les feux peuvent aider les forêts à se régénérer. Ils éliminent les vieux arbres morts. Normalement, il faut des années pour que les cônes de pins s'ouvrent et libèrent leurs graines, permettant ainsi à de nouveaux arbres de pousser. Mais quand il y a un incendie, les cônes éclatent tout à coup et les graines s'envolent.

— Elles ne brûlent pas ?

— Non. Un vrai miracle ! De la destruction jaillit la vie.

Philippe marqua une pause puis il ajouta tout bas :

— Enfin, en général.

Nyroc pencha la tête et cligna des yeux.

— Pourquoi, en général ?

— Toute ma famille a péri dans un de ces incendies. Ma maman, mes frères, mes sœurs... et une part de mon père, en quelque sorte.

— Je croyais que tu étais arrivé chez les Sangs-Purs avec lui ?

— Oui, mais il n'était plus le même mâle après la catastrophe, répondit Philippe.

— Comment ça ?

L'effraie ombrée poussa un profond soupir.

— Mes parents étaient différents l'un de l'autre. Tu vois, maman avait... des aspirations.

— Ça veut dire quoi ?

— Des espoirs, des rêves. Elle descendait d'une des plus grandes familles du Pays du Soleil d'Argent. Ses ancêtres étaient les cousins des rois et des reines d'autrefois. D'ailleurs, parfois, papa l'appelait « ma princesse ». Elle aimait ça. (Le regard de Philippe s'attendrit tandis qu'il ressassait ces vieux souvenirs.) Lui, il avait un esprit plus terre à terre. Il s'intéressait à la chasse et c'était à peu près tout. En revanche, il avait ses principes. Ça, oui ! Il n'était pas fier le soir où il a été forcé d'attaquer un bébé renard.

— Des « principes » ?

— Oui. Des règles, si tu veux. Mais des règles que tu t'imposes à toi-même, pas des ordres qui viennent des autres. Tu as des principes quand tu te fais ta propre idée de ce qui est bien et de ce qui est mal.

— À quoi ils servent ? demanda Nyroc, intrigué.

— Euh... D'un point de vue pratique, ils ne servent à rien. Comment t'expliquer... Tu ne peux pas comparer avec les lois des Sangs-Purs, qui fixent les droits et les devoirs de chacun en fonction du rang ou de l'espèce. Non, les principes servent juste à devenir meilleur. Et mon père était quelqu'un de vraiment bien.

— Que lui est-il arrivé après le feu de forêt ?

— L'incendie s'est déclaré en plein jour. Il était si violent que les flammes ont franchi le fleuve d'Argent. La fumée était très épaisse. On ne distinguait plus rien. Elle nous piquait les yeux et s'insinuait dans nos gorges, si bien qu'on pouvait à peine respirer. Nous avons dû fuir notre creux de la région des Ruisselets. Et puis... je ne sais pas comment... mon père et moi, nous nous sommes retrouvés séparés du reste de la famille. J'ai supplié mon père de faire demi-tour. En vain. Il prétendait que c'était inutile. Il avait sûrement raison. Il n'empêche qu'il a vite regretté de ne pas avoir au moins tenté de les sauver. Une fois le feu éteint, il ne restait plus rien des Ruisselets. Nous avons cherché partout, mais maman et les enfants étaient introuvables.

« Le poids du remords accablait mon père un peu plus chaque jour. Il a arrêté de chasser pendant un moment. Il broyait du noir à longueur de nuit. Bref, il a fait une sacrée crise de goliflop. Je commençais à avoir vraiment faim. J'étais plus jeune que toi à l'époque. Je ne savais pas encore chasser. Et puis la colère a pris le dessus chez papa – une rage immense. Il me criait dessus sans raison. Quelque chose de grave clochait dans son gésier.

« Nous nous enfoncions dans l'hiver, affamés. Le gibier se faisait rare. C'est à ce moment-là que nous avons découvert la tanière des renards. Papa disait toujours que c'était mal de chasser les petits, qu'il fallait leur laisser le temps de se reproduire eux-mêmes, sinon il n'y aurait plus assez d'animaux à manger sur terre. Ce jour-là, il a bafoué ses principes. Après cela, j'ai remarqué d'autres changements chez lui. Très subtils, au début. Par exemple, il avait l'air de ne plus se soucier de rien. Il s'est mis à dire des gros mots devant moi, ce qu'il ne faisait jamais avant.

« Jamais ? Ah bon ? » songea Nyroc. Nyra ne s'en privait pas.

— C'est à cette époque que Vilmor et Molos ont débarqué. Les Sangs-Purs n'ont pas de meilleure stratégie pour recruter : ils vont dans les régions où les incendies ont dévasté notre habitat, où les chouettes se sentent perdues, confuses, déboussolées et meurent de faim. Ils leur promettent un bon creux garni de mousse douce, quelques campagnols dodus et quelques rats. Ils les baratinent sur la pureté des effraies et sur la chance qu'elles ont de participer à la construction d'un nouvel empire. Et le tour est joué !

— Maman répète toujours que les effraies sont les chouchoutes de Glaucis.

— Ouais. Certaines plus que d'autres. Ils avaient juste oublié de nous préciser ce détail. Mon père a cru qu'il allait devenir un lieutenant important, diriger un escadron. La disparition de sa famille l'a rendu amer et hargneux. Il était prêt à tuer.

— Et après ? Que s'est-il passé ?

— Devine ? C'est lui qui s'est fait tuer ! Dès le premier combat. Kludd avait réussi à enlever un des professeurs du Grand Arbre de Ga'Hoole. Mais les Gardiens ont envoyé le Super-Squad pour le sauver.

— Alors mon oncle Soren devait être là, en tant que chef du Super-Squad. C'est lui qui... ? Ou c'est la chouette lapone qui a assassiné mon père ?

— Non. Ni Soren ni Perce-Neige. C'est une femelle

hibou des marais dont j'ai oublié le nom. Une terreur – rapide et hyper-précise.

« Perce-Neige... » À présent, Nyroc connaissait le nom du meurtrier de son père.

Le vent sifflait en s'engouffrant dans le canyon étroit. Parfois, une rafale chargée de neige s'infiltrait dans la tanière. Après un long silence, Nyroc dit :

— Et toi ? Qu'es-tu devenu ensuite ?

— Oh, moi ? Je n'étais qu'une effraie ombrée, trop jeune pour se battre par-dessus le marché. On me considérait comme un bec de plus à nourrir. J'ai enchaîné les corvées les plus ingrates, sans avoir le droit de m'entraîner pour intégrer les unités d'élite. J'ai été très malheureux jusqu'à ta naissance. Et puis tout a changé. On m'a choisi pour être le confident et le compagnon du petit poussin qui venait de jaillir du « globe sacré » – ta coquille. Ma vie a été transformée. On me distribuait les meilleurs morceaux de campagnol frais. J'ai occupé une place d'honneur à chacune de tes cérémonies, juste à côté de ta maman. Et autant je n'ai jamais eu beaucoup d'affection pour Nyra, autant, toi, je t'ai aimé dès le premier instant.

Un nouveau silence flotta dans le creux de pierre. Nyroc jeta un coup d'œil à l'extérieur.

— Il fait vraiment sombre maintenant.

— Oui, mais ne commettons pas d'imprudence. Restons ici jusqu'au matin. Je ne crois pas qu'ils nous poursuivront de jour. Et puis, ajouta-t-il avec un clin d'œil, ils n'ont pas obtenu de laissez-passer de la part des corbeaux, eux !

— Tu as raison. Je n'y avais pas pensé.

— En attendant, reposons-nous.

Les deux amis se calèrent dans un coin et tentèrent de trouver le sommeil. Mais l'endroit était peu confortable et les idées noires bouillonnaient dans le cerveau de Nyroc au point que son gésier était secoué de spasmes nerveux.

— Philippe, tu dors ?

— Plus ou moins, répondit celui-ci dans un demi-sommeil.

— Je me demandais... Philippe, c'est ton vrai prénom ? Celui que t'ont donné tes parents ?

— Je ne m'en souviens pas. Il me semble qu'il commençait par « p » et « h », en tout cas.

— « P » et « h » ?

— Ce sont deux lettres.

— Des lettres ?

— Oui, ça sert à lire et à écrire. Ma maman m'a appris l'alphabet, qui est composé de toutes les lettres.

— Alors il n'y a pas que les Gardiens de Ga'Hoole qui savent lire et écrire ?

— Disons qu'ils sont plus forts. Mais certaines chouettes connaissent au moins l'alphabet hors de l'île de Hoole.

— Tu sais lire, toi ?

— Un tout petit peu.

— J'aimerais bien apprendre, murmura Nyroc d'une voix mélancolique.

— Je t'enseignerai les lettres de ton prénom, si tu veux.

— Philippe...

— Je suis vraiment fatigué, Nyroc. On peut dormir, maintenant ?

— Je te promets que c'est la dernière question.

— D'accord. Quoi ?

— C'est une drôle de coïncidence, quand même, que

nos deux pères aient été tués par les Gardiens de Ga'Hoole et qu'on ait perdu nos mamans, non ?

Philippe écarquilla les yeux.

— Non. Moi, j'ai perdu ma mère. Toi, ta mère t'a perdu. Ce n'est pas pareil.

— Tu veux dire que je suis parti.

— Oui, et tu avais de bonnes raisons.

— Ah, bon ?

— Oui, la quête de vérité et...

— Et quoi ?

— Tu es trop bien pour elle ! Toi, tu as des principes !

16

Un petit point dans le ciel

Un mince rai de lumière descendait à l'oblique sur les disques faciaux de Philippe. Il ouvrit une paupière. « Oh, déjà le matin », se dit-il, déprimé.

— Je devrais me mettre au nid à cette heure-ci, pas le contraire ! marmonna-t-il. C'est le monde à l'envers.

Il laissa Nyroc dormir paisiblement et marcha jusqu'à l'entrée de la tanière.

— Ouch ! s'exclama-t-il en fermant les yeux.

Les rayons du soleil se décomposaient en milliers d'éclats aveuglants sur un mince tapis de neige blanche. Il entrouvrit un œil et scruta le ciel pendant plusieurs minutes à l'affût du commando. C'était une belle journée – surtout pour les créatures diurnes, évidemment : très peu de vent, un ciel d'un bleu vif uniforme, pas de traqueurs. Les conditions étaient excellentes.

— Nyroc ! Nyroc ! C'est l'heure d'y aller, trompeta-t-il en secouant son ami. Il faut profiter de la journée pour progresser au maximum.

Alors qu'ils se dirigeaient vers la sortie, Philippe s'arrêta brusquement.

— Attends ! s'écria-t-il en retenant Nyroc avant qu'il pose une patte dans la neige fraîche.

— Quoi ?

— On ne peut pas laisser des empreintes de serres dans la neige. Molos les trouvera. Non, il faut qu'on fasse un décollage sol-air.

— Je n'ai jamais essayé.

— Ne t'inquiète pas. C'est facile. Nous allons nous entraîner ici.

— Ici ? répéta Nyroc en balayant du regard la tanière confinée.

Le décollage sol-air consistait à s'élancer du sol, sans perchoir, ni branche, ni pierre pour prendre de l'élan. Ils n'avaient même pas assez de place pour déployer leurs ailes.

— Bon, Nyroc, observe-moi.

Dans un grand wouch ! Philippe leva les ailes en V

au-dessus de sa tête, puis les rabattit avec force. Il s'éleva aussitôt. Il sortit dehors et revint tranquillement.

— À ton tour.

Il ne fallut que deux ou trois coups d'essai à Nyroc pour maîtriser la manœuvre.

— Bien. Leçon suivante, lança Philippe.

— Quelle leçon suivante ? J'ai parfaitement exécuté ce décollage.

— Baisse les yeux. Il y a des traces de pas partout. Tu vois ce tas de lichen là-bas ? Tu en prends une touffe, moi une autre, et nous allons balayer.

Il leur suffit de quelques instants pour effacer toute trace de leur présence. Nyroc réalisa un décollage sol-air impeccable et ils s'élevèrent bientôt au-dessus des canyons.

Quel bonheur de voler par une journée si radieuse ! Un petit frisson d'excitation leur chatouilla le gésier lorsqu'ils dépassèrent une falaise où étaient alignés une bonne vingtaine de corbeaux. Les oiseaux noirs les saluèrent en silence d'un hochement de tête.

— Incroyable ! cria Philippe en se glissant à côté de Nyroc. Tope là !

Ils naviguaient depuis un certain temps déjà quand des nuages commencèrent à obscurcir le ciel derrière eux. Mais l'horizon restait clair. Les chouettes avaient mis le cap sur le nord-nord-est afin d'éviter les Broyeurs au-dessus de la forêt des Ombres. Elles se dirigeaient vers le Pays du Soleil d'Argent, *via* la Lande. Nyroc avait hâte d'être rendu. Il allait admirer des arbres pour la première fois de sa vie – et les plus beaux qui poussent sur terre, en plus ! Quant à Philippe, il était très curieux de voir ce qui avait repoussé dans sa région natale depuis l'incendie.

Ils se tenaient aux aguets au cas où Nyra et ses troupes les fileraient ; mais jusqu'à présent, aucun mouvement suspect ne les avait alertés. Ils firent halte deux fois pour chasser et déguster des proies, en prenant grand soin de ne rien laisser derrière eux.

Des nuages de plus en plus épais s'amoncelaient. Nyroc fit pivoter son crâne en arrière. « Ça va éclater », présagea-t-il. À cette époque de l'année, les chutes de pluie et de neige se succédaient. Il avisa soudain une zone plus sombre dans la nappe grise – un point minuscule. Il n'en tint pas compte au début mais un drôle de picotement dans son gésier éveilla sa méfiance. Il fit jouer les muscles de ses disques faciaux afin d'orienter les fentes de ses oreilles vers ce petit grain foncé... Bingo !

— Philippe ! Nous sommes suivis !

— Non ! s'étrangla celui-ci en tournant la tête. Tu as raison. Qu'allons-nous faire ?

— Nous séparer, annonça Nyroc d'une voix ferme. Chacun part de son côté. On va les semer.

— Et comment se retrouver ? Moi, je connais ce territoire, mais toi...

— Laisse-moi réfléchir... Nous ferons demi-tour. Ils ne s'y attendent pas. Rendez-vous ce soir à la tanière du renard.

Philippe dut admettre que l'idée était bonne. Les corniches en surplomb permettaient de se cacher. Et personne n'irait les chercher dans un canyon encaissé et peuplé de serpents à sonnette.

— D'accord. C'est parti.

Après avoir échangé un dernier coup d'œil, les deux copains prirent des directions opposées.

17

Je pars en miettes !

Nyroc guettait Philippe par l'ouverture creusée dans la falaise. Il était arrivé depuis longtemps et commençait à s'inquiéter de l'absence de son copain. Et si le commando l'avait attrapé ? Mieux valait ne pas y penser, c'était trop effrayant. Il se retourna et s'enfonça dans la cavité sombre. Là, il cracha une pelote, la ramassa et chercha un endroit où l'enterrer, un peu plus loin à l'intérieur.

Tandis qu'il creusait le sol, il éprouva soudain une sensation étrange au niveau de la queue. Il pivota sur lui-même et aperçut une plume par terre – plus précisément, une de ses couvertures sous-caudales, ces plumes qui garnissaient la partie inférieure de sa queue.

— Grand Glaucis ! Qu'est-ce qui m'arrive ?

Il l'étudia avec un mélange de stupeur et d'horreur.

Lorsqu'une deuxième, plus petite, tomba paresseusement pour rejoindre la première, il se mit à trembler et à gémir, le gésier en compote.

— Par Glaucis, qu'est-ce qui se passe ici ? s'écria Philippe en déboulant dans la tanière.

— Philippe, je suis tellement content de te voir !

— Qu'est-ce qu'il y a ?

Nyroc se raidit, tenta de prendre un air courageux, ravala sa salive, cligna des yeux plusieurs fois... et se lança :

— Philippe, je regrette de devoir t'annoncer ça mais... je crois que je suis en train de mourir.

— De mourir ? Qu'est-ce que tu racontes ? Tu sembles en parfaite santé.

La jeune effraie baissa les yeux et attrapa une plume.

— Comment expliques-tu ceci ?

— Ça ? Tu mues, c'est tout !

— Je mue ?

Philippe soupira.

— Oh, ta mère ne t'a rien dit au sujet des mues ?

— Non.

— Bon. D'abord, c'est un phénomène naturel.

— Alors je ne suis pas malade ? Je ne vais pas mourir ?

— Non. Désolé de te décevoir. Muer est un signe de maturité. Il y a très longtemps, ton premier duvet est tombé – tu n'étais pas joli à voir ! Nous avons célébré ta cérémonie de la Mue, tu t'en souviens ?

— Hum, oui, peut-être... Mais ça ? (Il agita sa plume sous le bec de Philippe.) Ce n'est pas du duvet. J'en ai besoin pour voler ! Plus de queue, plus de gouvernail ! Je ne pourrai plus prendre de virage !

— Quand les plumes vieillissent et s'usent, elles chutent et sont vite remplacées par des neuves.

— Vite comment ?

— Ne sois pas si impatient.

— Tu oublies que nous avons ma mère, son meilleur traqueur et ses lieutenants les plus féroces à nos trousses ! J'ai besoin de toutes mes plumes.

— Cela prendra quelques jours.

Philippe marqua une pause et l'inquiétude assombrit ses yeux. Nyroc ne manqua pas de le remarquer. Les émotions de son ami, même les plus imperceptibles, ne lui échappaient jamais.

— À quoi tu penses ?

— Nous allons devoir enterrer ces plumes avec les pelotes. Elles pourraient nous trahir.

— Oh, zut ! s'exclama Nyroc, tout tremblotant. Ça ne m'était pas venu à l'idée.

— Laisse-moi t'examiner. Je vais vérifier combien il t'en manque.

L'effraie ombrée se mit donc à peigner son camarade. Sa serre du milieu avait un cran spécialement destiné à cet usage. Philippe était le « lisseur de plumes » attitré de Nyroc depuis toujours. Ce geste était très apprécié entre chouettes. Il n'existait pas de meilleur moyen pour renforcer ses liens et témoigner son affection. Tandis qu'il comptait les tuyaux cassés, Philippe sentit Nyroc frissonner de plus belle.

— Tu vois quelque chose ? demanda ce dernier d'un ton désespéré.

— Allons, ressaisis-toi, pour l'amour de Glaucis ! Non, je ne vois rien.

— « Ressaisis-toi ! » Facile à dire ! Tu ne tombes pas en miettes, toi ! Je m'éparpille partout dans les canyons. Autant tracer une ligne en pointillé qui remonte jusqu'à moi !

— Le moment est mal choisi pour tomber en miettes, Nyroc ! C'est toi qui m'as entraîné dans cette quête de vérité sur les Sangs-Purs et sur Ga'Hoole. Arrête de te tracasser pour tes plumes. Ce sont elles qui ont négocié avec les corbeaux peut-être ? Je te rappelle que tu as aussi une cervelle et un gésier. Oh, évidemment, le héripaon a fait son petit effet ; mais l'important, c'est le soufflard qui gonfle ton gésier. Je ne veux plus t'entendre avec tes histoires de miettes.

Nyroc hocha la tête, penaud. Philippe avait raison. Si la mue était naturelle, pourquoi paniquer ? Est-ce que Soren aurait paniqué dans cette situation, lui ? Plus il pensait à son oncle, plus il était intrigué. Si les flammes de Gwyndor disaient la vérité, alors il devait être un mâle extraordinaire. Il espéra de tout son cœur avoir un jour la chance de le rencontrer.

Ils parvinrent à débusquer un campagnol au fond de la tanière. Nyroc avait bondi sur lui et s'apprêtait à lui arracher la tête quand Philippe s'écria :

— Relâche-le !

— Le relâcher ? Tu es dingue ? protesta-t-il en maintenant fermement la petite bête dodue dans ses serres.

— Ils sont de retour ! Tu veux leur indiquer notre chemin avec le sang de ton campagnol ? Ce serait dommage de mourir à cause de ça.

Nyroc laissa aussitôt tomber sa proie, qui détala sans demander son reste. Il se glissa près de Philippe à l'entrée du trou.

— Grand Glaucis, les voilà. Comment nous ont-ils retrouvés ?

— Je n'en sais rien.

— On est piégés.

— Peut-être pas.

— Tu as une solution ?

— Il y a parfois plusieurs sorties dans ce genre d'endroit. Les renardes pensent à tout. Il n'y a plus qu'à chercher en croisant les serres ! Si tu perds une plume, n'oublie pas de la ramasser.

Ils s'avancèrent en sautillant dans un couloir sinueux et étroit. Nyroc marchait devant, au cas où il poursuivrait sa mue sur le trajet. L'effraie ombrée avait emporté les débris de la litière des renardeaux et les répandait derrière lui pour couvrir leurs traces. Molos était un bon traqueur et deux précautions valaient mieux qu'une. Le tunnel leur parut interminable.

— Eh, ça s'élargit ! cria enfin Nyroc. Je peux presque déployer mes ailes.

— Tant mieux.

Philippe en avait assez de traîner son tas de brindilles derrière lui. La galerie humide empestait la crotte et la carcasse pourrie. Il ne voulait même pas savoir quels animaux s'étaient aventurés là. Les murs suintaient, l'air stagnait – un véritable enfer pour des oiseaux. Il se serait cru à Hagsmire.

— Je vole ! annonça Nyroc quelques secondes plus tard.

Philippe décolla à son tour et ils enfilèrent un passage tortueux, à peine plus large que leur envergure. Ils avaient la sensation de s'élever en spirale à l'intérieur de la falaise. Ils entendaient des rats trottiner et, parfois, leurs yeux rouges et luisants trouaient l'obscurité. Malgré leur estomac vide, ils ne songèrent pas un instant à les prendre en chasse, trop pressés qu'ils étaient de se tirer de ce mauvais pas.

— J'aperçois de la lumière au bout... Oh, c'est une étoile !

Ils s'extirpèrent aussi vite qu'ils purent du goulet puant et plongèrent dans les ténèbres veloutées de la nuit.

— C'est l'Étoile dormante, expliqua Philippe. Celle qui ne se déplace jamais. Elle indique le nord. Allons-y.

— Les Broyeurs ne soufflent pas au nord, justement ?

— Si, mais ne t'inquiète pas. Nous changerons de cap avant. Nous couperons par la Lande. Il y a plein de chouettes des terriers là-bas, donc plein de trous pour se cacher.

— Encore des trous ! marmonna Nyroc.

« Enfin, il y a plus grave », songea-t-il en jetant un coup d'œil en arrière pour s'assurer qu'il ne perdait pas de plumes.

— Oh, par Glaucis ! Le commando !

— Impossible ! Bon. Descente en spirale.

— Ici, tu es sûr ? souffla Nyroc, stupéfait.

Les Aiguilles, pointues et acérées, se dressaient sous leur ventre. Le poussin ne voyait pas comment slalomer dans ce labyrinthe hérissé de pics déchiquetés, ni où atterrir.

— Attention, prévint Philippe, tu vas devoir réaliser les manœuvres les plus délicates de ta vie.

Son plan consistait à raser les cimes des Aiguilles sans jamais s'engouffrer entre deux versants. Il espérait ainsi semer la confusion dans l'esprit de leurs poursuivants et finir par les semer.

— À trois. Un, deux et... trois !

Ils multiplièrent les virages serrés, zigzaguèrent entre les flèches de pierre, battant des ailes à toute volée et réajustant sans cesse l'angle de leur queue.

Ils faillirent bien s'égarer. Leur peigne commençait à s'user. Puis Philippe se laissa décrocher. Nyroc, quant à lui, souffrait terriblement. Ses muscles se crispaient, il avait des crampes partout. Les mouvements imperceptibles qu'il imprimait à chacune de ses plumes réclamaient beaucoup d'attention et d'énergie. Mais il ne pouvait pas ralentir. « Par Glaucis, même mes serres me font mal ! » pensa-t-il.

Tout à coup, il cligna ses paupières. Quelque chose jaillissait des Aiguilles, face à lui. Il s'agissait d'un minuscule éperon rocheux. On aurait dit que Glaucis l'avait placé là rien que pour lui. Il se posa dessus. Un instant plus tard, Philippe le rejoignit.

— Je crois que je n'aurais pas pu continuer, avoua-t-il.

— À ton avis, on les a semés ?

— J'espère. Plaque-toi contre la paroi. La lune est presque pleine et on pourrait repérer nos ombres.

— Regarde, il recommence à neiger.

— Ouais. Ce sont les Broyeurs. Ils provoquent des rafales tourbillonnantes.

Nyroc n'avait jamais vu de telles bourrasques. Elles agitaient violemment les flocons, brouillant le halo de la lune et jetant un voile grisâtre sur la nuit. C'était effrayant. Les yeux levés, Philippe déclara calmement :

— Ils nous ont trouvés.

Nyroc sentit son gésier se recroqueviller comme une fleur fanée.

— Non !

— Si, mais ils ne savent pas comment nous rejoindre.

— Combien de temps allons-nous rester en sécurité ici ?

— Pas longtemps.

— Pourquoi ?

— Parce que le meilleur traqueur au monde est là, avec eux. Je te présente Doc Bonbec.

Nyroc distingua un immense harfang qui volait en cercles au-dessus de leur tête. Une longue plume noire dépassait de son dos.

— C'est quoi, ce machin qui sort entre ses ailes ?

— Une plume de corbeau. C'est son signe distinctif. Les corbeaux l'adorent autant qu'ils le craignent. Il est leur héros.

— En d'autres termes, il a un laissez-passer.

— Oui, et pas seulement ici. Partout. (Philippe resta muet un moment.) Je te parie que quand ce nuage aura fini de glisser sur la lune, il aura réussi à nous atteindre.

— Qu'allons-nous faire ?

— Nous n'avons pas cinquante possibilités, hein ? Nous sommes coincés entre les Aiguilles et les Broyeurs.

Les deux amis se regardèrent.

— Les Broyeurs ! lancèrent-ils en chœur.

Ils s'élancèrent de l'éperon à la verticale, franchirent les Aiguilles et foncèrent droit sur les rafales cinglantes.

18

Broyés

Nyra dévisageait le harfang en attendant ses explications.

— J'avoue que leur réaction m'a surpris, dit Doc Bonbec.

Il cligna des yeux et tourna la tête en direction des Broyeurs.

— Seuls les Gardiens de Ga'Hoole savent comment gérer ces vents. Nous étions obligés de battre en retraite. Je n'ai jamais vu aucun oiseau, pas même un aigle, se jeter de son propre gré à l'assaut des Broyeurs. S'ils survivent, ce dont je doute, ils en sortiront drôlement amochés.

— Mais comment serons-nous certains qu'ils sont morts ? lâcha Nyra.

Doc Bonbec tomba des nues. « Son poussin est mort et c'est tout ce que ça lui fait ? » pensa-t-il.

— Je ne comprends pas mon fils et ses caprices, mais une chose est sûre : je ne *peux* pas tolérer la rébellion, ajouta Nyra, comme pour justifier son absence d'émotion.

— Je vois... fit le harfang.

En réalité, il ne voyait rien, mais quelle importance ? Il venait de Par-Delà le Par-Delà, à l'instar de la plupart des Pattes graissées et des chouettes prêtes à tout contre salaire. Ces mercenaires posaient rarement de questions sur leur mission – tant qu'on les payait. Leur récompense allait du droit de chasser sur certains territoires bien gardés où le gibier abondait à une becquée de charbons. Autrefois, ils acceptaient aussi les paillettes. Les Sangs-Purs n'avaient plus grand-chose à offrir à un traqueur de qualité tel que Doc Bonbec. Cependant, la ruse du harfang n'avait d'égale que sa méfiance. Nyra avait été puissante. Elle possédait les qualités d'un grand chef et, à l'évidence, les moyens de reconquérir le monde. Le harfang jugeait plus sage de rester dans ses bonnes grâces. Il voulait la garder redevable.

— Dois-je répéter ma question ? fit-elle.

— Non. Je sais où les trouver s'ils s'en sortent. Je suis un des rares à connaître les issues des Broyeurs.

Il la fixa droit dans les yeux et bomba la poitrine.

— Je vous y emmènerai si vous voulez.

Nordu fit un pas en avant.

— Combien y a-t-il d'« issues » exactement, Doc ?

— Deux ou trois, tout au plus. J'identifierai vite la bonne. Ensuite, les capturer ne posera aucun souci. Rappelez-vous qu'ils seront désorientés.

« Trop facile », songea Nordu. Ce n'était pas la première fois qu'il nourrissait des doutes sur les objectifs et les stratégies des Sangs-Purs. Déjà, avant le Grand Incendie, il s'était interrogé sur les méthodes d'entraînement des soldats, suite à un accrochage avec les Gardiens de Ga'Hoole dans les Monts-Becs. À l'époque, les Sangs-Purs étaient de loin les mieux armés et une discipline rigoureuse régnait dans leurs rangs. Ils avaient conquis plus de territoires que n'importe quelle autre armée dans l'histoire, à l'exception de celles des Royaumes du Nord. Pourtant, ils avaient perdu dans les Monts-Becs, face à des troupes moins nombreuses de chouettes indomptées – preuve qu'une société libre comme celle du Grand Arbre pouvait produire d'excellents guerriers. Leur intelligence l'avait emporté sur la puissance et l'autorité.

Depuis, Nordu avait creusé la question. Surtout après l'éclosion de Nyroc. Il aimait bien le poussin. La façon dont Nyra traitait son fils le faisait frémir. Elle était si exigeante avec lui ! Il ne pouvait s'empêcher de se demander comment le petit aurait évolué dans une famille normale. Ou ce qu'il serait devenu s'il avait brisé sa coquille au Grand Arbre de Ga'Hoole, par exemple. Alors qu'il était sur le point d'être nommé colonel, Nordu commençait sérieusement à se lasser de Nyra et de ses manières.

Mais où se réfugier, à son âge ? Qui accepterait la compagnie d'un ancien officier de l'armée la plus détestée au monde ? Ce n'était pas tant les défaites qui le déprimaient que l'idée de passer toute sa vie dans l'Union tytonique des Sangs-Purs. L'œuf et la vie qui palpitait à l'intérieur lui avaient beaucoup donné à réfléchir. Il avait guetté l'éclosion en tremblant. La nuit de l'éclipse, un sentiment très fort, qu'il ne pouvait décrire que comme une joie immense teintée de mélancolie, avait envahi son gésier. On racontait que les poussins des éclipses héritaient de pouvoirs extraordinaires. Fallait-il se réjouir pour ce jeune mâle ou s'inquiéter ?

Peut-être que mourir dans les Broyeurs était ce qui pouvait arriver de mieux à Nyroc. S'il était capturé – une formalité à en croire Doc Bonbec –, il n'échapperait pas à sa Cérémonie spéciale. Jusqu'à cette nuit, Nordu ne l'avait jamais remise en cause.

« Je l'ai passée en tuant mon cousin, se souvint-il. Je l'aimais beaucoup, mais j'admirais tellement l'ancien Grand Tyto que je me suis vite remis de sa mort. Je me suis même persuadé que j'avais fait le bon choix. »

À ce moment-là, seule comptait son intégration parmi ces fantastiques chouettes effraies vouées à diriger la planète. Nordu était jeune alors, fort, habile au combat et surtout pur, cent pour cent *Tyto alba*. À présent, il ne croyait plus en rien.

— Est-ce que tu es satisfait par cette réponse, Nordu ? demanda Nyra avec mauvaise humeur.

Il eut envie de rétorquer : « Non, Mam' la Générale, je ne suis pas satisfait. » Mais il n'était plus un poussin.

— Oui, Mam' la Générale.

— Bien. Nous accompagnerons Doc Bonbec pour voir si Nyroc est... Enfin, pour connaître l'issue de cette affaire.

— Mam' la Générale, si Nyroc est en vie, que ferez-vous ?

— C'est un rebelle. Il devra être puni. Un tel comportement au combat aurait entraîné les pires conséquences. Mais il est jeune et fougueux. Je lui accorderai une seconde chance.

« Tu parles d'une chance ! » se dit Nordu.

Nyroc avait perdu Philippe de vue. Les vents tourbillonnants le ballottaient, le secouaient et le poussaient dans tous les sens. Il avait l'impression que son estomac et son gésier jouaient des castagnettes. Incapable de se repérer dans l'espace, il sautait, tournait puis tombait au gré du torrent. Il crut voir voler plusieurs de ses rectrices. Est-ce que seulement il lui en restait ? Après tout, qu'importait !

Il était épuisé, il s'en rendait compte maintenant. Il en

avait plus qu'assez de mener cette vie, de supporter cette mère étrange et terrifiante. Autant mourir broyé par le vent. Il cessa de battre des ailes et s'abandonna aux courants cinglants. Le rugissement des Broyeurs s'éteignit peu à peu.

19

Ça fait mal !

Lorsqu'il fut capturé, Philippe sut que sa quête était terminée. Au même instant, le sens du traitement de faveur qu'il avait reçu depuis l'éclosion de Nyroc lui apparut. L'horrible vérité éclata, à la manière d'un arbre gorgé de sève qui s'embrase. Oui, il y avait une logique derrière ces petites attentions. Une logique terrible, implacable. Il comprit enfin qu'on l'avait manipulé pour permettre à Nyroc de prouver sa valeur et son sens du sacrifice.

« Que s'est-il passé ? » se demanda Nyroc en essayant de se relever. Il était complètement moulu. Il fit quelques pas en titubant sur ses pattes, puis tenta de déployer ses ailes. Il se sentait tout bizarre.

— Où suis-je ? s'interrogea-t-il à voix haute.

— Avec ta mère !

Il pivota sur lui-même. « Non ! » Nyra le fixait d'un regard froid et sévère.

— On a bien cru que tu ne reviendrais jamais à toi. Mais tu es résistant. Et en dehors du fait que tu as perdu la moitié de tes plumes, tu as l'air plutôt en forme. Assez en forme pour tuer.

— Quoi ?

— Ne fais pas l'idiot. Tu sais très bien de quoi je parle. Il est temps pour toi de célébrer ta Cérémonie spéciale, mon cher. Estime-toi heureux que je sois prête à pardonner ton offense.

Nyroc était si choqué qu'il en demeura sans voix. Des flammes dansaient devant ses yeux. Des images abominables hantaient son esprit.

— Qu'as-tu à répondre ? siffla Nyra. Ne vas-tu pas me remercier de ma générosité ? Alors ?

— Maman, articula-t-il enfin, est-ce que je pourrais te parler seul à seule ?

Elle le contempla en silence pendant un long moment.

— Bien sûr, mon chéri.

La générale s'éloigna de ses officiers de quelques battements d'ailes. À sa grande honte, Nyroc la suivit en se dandinant. Quand il arriva à sa hauteur, elle était en train de passer son bec entre les rares touffes de duvet qui ornaient encore sa poitrine. Ce geste lui causa un pincement de remords.

— Je ne suis pas beau à voir, hein ?

Elle chuinta doucement et l'atmosphère se détendit un peu.

— Tu m'as manqué, Nyroc. Tu es tout ce qu'il me reste.

— Mais, maman...

— Tu donnes un sens à ma vie. Tu incarnes l'Union, l'empire.

— Mais est-ce que tu m'aimes pour ce que je suis, *moi* ?

La femelle effraie minoucha. La confusion le disputait à la colère dans ses prunelles sombres, et sa cicatrice sembla tressaillir. Elle ouvrit le bec et émit un son guttural que son fils interpréta comme un « oui ». Puis elle se lissa à nouveau la poitrine.

— Oh, maman ! Maintenant je suis sûr que tu m'aimes !

— Un avenir formidable s'ouvre à toi, Nyroc. Tu dirigeras le monde ; tu deviendras roi, empereur. Tu seras aussi grand que l'ancien roi Hoole. Je le sais. Je le sens dans mon gésier.

— Le roi Hoole, murmura-t-il.

— Oui, le roi Hoole. Es-tu prêt pour ta cérémonie, mon... mon... mon amour ?

« Ça y est ! Elle l'a dit ! »

— Oui, maman. Oui, je suis prêt.

Les scènes abominables qu'il avait vues dans les flammes s'effacèrent de son esprit comme par enchantement. « Elle m'a menti à propos de papa pour me protéger, décida-t-il, et pour que je l'aime plus fort. C'est forcément ça. »

Ils retournèrent ensemble près du cercle d'arbres où Molos, Nordu et les autres lieutenants les attendaient, perchés sur une branche.

— Oh, maman ! Je n'avais pas réalisé ! Ce sont des arbres, n'est-ce pas ? De vrais arbres ?

— Ne t'avais-je pas promis que je te montrerais un arbre vivant ?

— Oh, si, Mam' la Générale.

Nyroc leva une serre et exécuta un salut kluddien parfait. Le gésier de sa mère frémit de fierté.

— Amenez le prisonnier, ordonna-t-elle.

Blyrric et un autre officier s'exécutèrent. Ils traînèrent une effraie ombrée, ligotée avec de la vigne vierge, jusqu'à un tronc et l'attachèrent. Nyroc se figea sur place.

— Philippe ? fit-il en clignant ses paupières.

— Qui est Philippe ? s'écria Nyra.

— Va-t'en, Nyroc ! Envole-toi ! lui hurla son ami.

Tout s'éclairait à présent. Oui, c'était clair comme de l'eau de roche.

— Ah, Krados ! C'est ainsi que tu l'appelles ? Regarde-le bien, c'est la dernière fois que tu le vois.

Il se tourna vers sa mère d'un air effaré.

— Mais je croyais qu'il s'agirait d'un animal comme un renard ou... ou...

Il ne put terminer sa phrase tant elle lui faisait honte.

Le sens de la Cérémonie spéciale lui apparaissait soudain dans toute son horreur. Ce n'était pas un duel. C'était un meurtre prémédité et perpétré de sang-froid. Les mots coulèrent de son bec :

— ... ou Porkas, le prisonnier.

Il se détesta au plus profond de son gésier pour avoir osé les prononcer.

— Non, ce serait trop facile. Tu connais à peine Porkas. La première leçon était simple : tu devais apprendre à haïr ton oncle Soren, l'assassin de ton père. Je t'avais prévenu que la deuxième étape serait plus dure.

La rage de Nyroc explosa.

— Mais Soren n'a même pas tué mon père ! C'est une chouette lapone qui l'a fait. Tu m'as menti.

— Qui lui a dit ? Qui lui a dit ? glapit Nyra en se dirigeant vers ses lieutenants.

— Personne ! Je l'ai vu dans les flammes, répliqua Nyroc. Et je ne tuerai ni Porkas ni Philippe, maman. Jamais !

— Tu n'as pas le droit de reculer ! Tu dois prouver que

tu es digne de cette Union. De cet empire. Tu dois tuer ton ami ! conclut-elle d'un cri perçant.

L'une des premières histoires que le feu lui avait racontées lui revint en mémoire. Un creux dans un lointain sapin. Deux poussins dont l'aîné devait à peine voler et le second était encore couvert de duvet. Le plus vieux se rapprochait sournoisement de son frère et l'éjectait du nid d'un grand coup de patte dans le dos. Puis un frémissement blanc, d'un blanc plus éclatant que la lune, apparaissait entre les aiguilles du sapin. Sa mère. « Bravo, Kludd. Malgré ton jeune âge, tu as réussi. Viens avec nous. » Nyroc venait de percer le mystère. Il s'agissait de la Cérémonie spéciale de son père.

Il tourna la tête vers Nyra et lui jeta le regard le plus noir dont il était capable.

— Maman, je ne ferai pas ce que tu me demandes. Quelles que soient les conséquences.

— Quelles que soient les conséquences ? grinça-t-elle.

Elle déplia ses ailes, baissa la tête et poursuivit d'une voix menaçante :

— Pas même si je devais te tuer ?

— Vole ! Vole ! Sauve-toi ! Je n'en vaux pas la peine ! cria Philippe.

— Il a raison, Nyroc... Cette minable ombrée puante n'en vaut pas la peine.

— Si, tout le monde mérite de vivre, riposta-t-il d'un ton inflexible.

Nyra parut étonnée ; elle ne s'attendait pas à rencontrer une telle ténacité.

— Mam' la Générale, il y a... il y a peut-être une autre solution, bafouilla Nordu.

Elle fit volte-face.

— Dégagez, tous autant que vous êtes ! Je veux parler à mon fils en privé.

Doc Bonbec et les officiers ne se firent pas prier. Quand ils furent haut dans le ciel, le contour de leurs ailes estompé par les nuages, Nyra se tourna vers son fils.

— Et ton père ? Tu ne l'aimes pas ?

— Je ne l'ai même pas connu.

— Eh bien, tu apprendras à le connaître, mon cher, si tu ne réussis pas ta Spéciale. Son scrome te hantera et te pourchassera où que tu ailles jusqu'à la fin de tes jours !

Nyroc minoucha. Ses yeux épouvantés papillonnaient de sa mère à Philippe.

— Non.

Ce fut la goutte d'eau pour la femelle effraie. Ce simple mot déclencha sa fureur. Nyroc n'eut pas le temps de se protéger. Elle vola vers lui et lacéra son beau visage. Il sentit une douleur fulgurante. Du sang ruisselait sur ses serres.

— Envole-toi ! hurla Philippe.

Nyra se figea et regarda son fils, frappée d'horreur.

— Oh, non ! Oh, mon chéri, gémit-elle d'une voix soudain mielleuse, ce n'est pas ce qui était prévu. Non, ce n'est pas ton sang qui devait couler... Pas le tien...

Puis ses plumes se hérissèrent, ses prunelles sombres se remplirent de haine et elle se rua sur Philippe. Nyroc ne put rien faire. Il était déjà trop tard. L'effraie ombrée gisait au pied de l'arbre.

— Qu'as-tu fait ? murmura Nyroc.

Il sautilla jusqu'à son ami. Sa tête pendait mollement sur son épaule. Ses yeux étaient vitreux et une profonde entaille traversait son ventre. Dans un râle, il parvint à articuler d'une voix rauque :

— Pars, Nyroc... Fuis.

Nyra l'acheva sans l'ombre d'une hésitation. Elle plongea les serres dans sa poitrine et lui arracha le cœur.

Son poussin la dévisagea avec stupeur.

— Je te hais !

— Non, mon fils. Tu t'en remettras, affirma-t-elle d'un ton précipité. Ce sera notre petit secret. Nous dirons aux autres que c'est toi qui as tué Krados. D'accord ?

Il la foudroya du regard et, pour la première fois, il la vit se tasser un peu.

— Ce sera notre petit secret, répéta-t-elle avec l'accent du désespoir. Tu as réussi ta Spéciale. N'est-ce pas formidable ? On a juste un peu triché. Tu as manqué de temps mais je sais que tu aurais franchi cette épreuve au bout du compte.

— Tu... ne... sais... RIEN ! cracha-t-il.

— Nyroc, tu es tout pour moi. Ma vie ne vaut rien sans toi.

— Ta vie ne vaut pas une pelote !

Sur ces mots, il déploya ses ailes à moitié déplumées et s'éleva dans les airs. Il serrait fort les mandibules tant le contact du vent sur sa chair à vif le faisait souffrir.

« Alors, c'est cela, le libre arbitre ? pensa-t-il. Ça fait mal ! »

20

Loin de tout

Nyroc était seul au monde. Il erra sans but, explorant les replis d'une nuit noire, paisible, trouvant refuge dans son obscurité fraîche et veloutée. Il se sentait faible, très faible. « Je dois aller assez loin pour qu'ils ne me retrouvent plus jamais », se répétait-il en boucle, comme une rengaine lancinante.

Il survolait une forêt. Des fûts immenses et des branches frangées d'aiguilles se dressaient dans le ciel. « Tiens, des aiguilles. C'est l'hiver, songea-t-il. Les arbres feuillus ont dû muer. Philippe m'a expliqué que les feuilles tombaient avant l'hiver. »

Philippe ! Son gésier se tordit de désespoir. Mais ce n'était pas le moment de pleurer son ami. « Ne pense à rien d'autre qu'à avancer, se dit-il. Ces bois doivent appartenir à la forêt des Ombres. Il n'y aurait pas autant d'arbres dans la Lande. Philippe m'a raconté que... »

Il interrompit le fil de ses pensées.

À bout de forces, il dut se résoudre à chercher un abri. Il se mit à tracer avec difficulté des cercles au-dessus des bosquets denses. Son gouvernail ne fonctionnait plus. Sa queue refusait de lui obéir. Il pria pour trouver vite un tronc d'arbre avec un creux. Néanmoins, dans son état, il prendrait ce qui se présenterait. Tout à coup, un reflet brillant l'éblouit, comme si une lame d'argent avait fendu la nuit et marqué les ténèbres de son empreinte. « La lune est tombée par terre ! Oh, non, bien sûr que non... Ce n'est que son reflet. Alors il doit y avoir une mare, un étang ou un lac ! » Bien sûr, ces mots n'évoquaient pour lui que de vagues descriptions. Lentement, il se laissa glisser vers le cœur de la forêt.

Il se posa au sommet d'un rondin, sur une plage de galets. Une mince pellicule de glace avait commencé à se former sur l'eau. Il avança sans bruit jusqu'au bord, où le froid n'avait pas fini de grignoter la surface, et sursauta en apercevant son reflet. Une ligne grenat de sang caillé barrait son visage en diagonale – il porterait dorénavant la même marque que Nyra, au détail près qu'elle descendait chez lui de gauche à droite, et non de droite à gauche. Un frisson parcourut son gésier. « Je suis l'exact reflet de ma mère. »

Il n'était pas au bout de ses surprises. Au même instant, une volute de brume s'éleva du lac. Elle se mit à tourbillonner puis, peu à peu, des contours se dessinèrent. Un masque ! Ensuite, Nyroc eut la sensation de quitter son corps. C'était à n'y rien comprendre : il planait au-dessus de l'eau et pourtant, s'il se tournait pour regarder derrière lui, il constatait que ses serres restaient fermement plantées dans les petits cailloux de la plage. Se pouvait-il qu'il soit à deux endroits à la fois ? Une voix inconnue retentit soudain dans sa tête :

— *Viens ici, mon garçon. Allons. Salue-moi comme il se doit.*

Son double s'avança vers la silhouette floue. Vers le scrome de son père.

— *Oui, mon petit. C'est bien moi. Ta mère a raison, tu ne peux pas échapper à ton destin. Tu dois rentrer, Nyroc.*

Instinctivement, le poussin répondit en pensée :

— *Tu es ici pour régler une dernière affaire ?*

— *C'est à toi de poursuivre ce que j'ai commencé.*

— *De quoi parles-tu ?*

Le masque scintilla d'un éclat menaçant. Nyroc reprit :

— *Je ne suis pas sur terre pour résoudre tes problèmes. Je suis libre.*

— *Ha ! Ha ! Ha !*

Le rire dur et métallique du scrome le fit trembler. Alors sa mère avait dit vrai. Il serait hanté par le fantôme de Bec d'Acier à tout jamais, où qu'il aille. Accablé de fatigue et de peur, découragé, il fut sur le point de renoncer à la vie et de piquer dans les orties.

— *Oui, Nyroc, à quoi bon ? Pourquoi* s'*acharner ? Que peux-tu attendre de la vie maintenant ?*

— *Comment ça ?*

— *Les chouettes effraies incarnent la noblesse. Mais regarde-toi : tu es apeuré et presque déplumé. Tu ne ressembles plus à rien – sûrement pas à une chouette racée, en tout cas.*

— *Peut-être que je devrais rentrer...*

— *Oui, sans doute.*

Il secoua la tête. La voix du scrome s'insinuait insidieusement dans son esprit pour le manipuler. Il devait résister.

— *Non, non, jamais.*

— *Rentrer ou te résigner à une vie misérable. À toi de choisir, mon fils.*

— *Tu te trompes.*

— *Les Sangs-Purs sont supérieurs et ils sont ta seule famille.*

Nyroc se rappela soudain les paroles de réconfort de Philippe dans la tanière du renard. Oui, il avait assez de soufflard pour tenir tête au scrome de son père. Il n'aspirait plus à devenir le Grand Tyto, ni à chausser ses belles serres de combat astiquées. Il avait trouvé une autre source d'inspiration. Il voyait en rêve l'image vibrante d'un arbre sur une île, au milieu d'une vaste mer. Plus qu'un simple arbre, c'était un endroit où l'on gardait comme des trésors la grandeur d'âme et la sincérité. Il suivrait le conseil de Gwyndor : la vérité n'avait aucune valeur si elle était proférée, tel un ordre. Il n'écouterait plus que son gésier désormais.

— *J'ai une cervelle et un gésier. J'ai parlé aux corbeaux et j'ai négocié avec eux pour obtenir un laissez-passer.*

— *Qu'est-ce que tu racontes, petit ? Tu es pathétique ! Un gésier dégonflé ! Tu as encore une chance de te montrer loyal envers ta mère et de servir la cause juste de l'Union des Sangs-Purs, saisis-la !*

Une clameur assourdissante envahit l'esprit de Nyroc.

— *Mon meilleur ami a été assassiné par ma mère. Il est hors de question que je rentre. Jamais ! Je ne suis ni pathétique ni un gésier dégonflé. S'il le faut, je me battrai. Contre les Sangs-Purs.*

Il réintégra son corps sur le rivage. La voix était partie et, en un instant, le masque s'était dissous dans la nuit.

Encore bouleversé et tremblant, Nyroc décida de dresser l'inventaire de ses plumes. Il examina son visage dans le miroir noir du lac. Sa balafre était toujours là. Il ne l'avait pas rêvée. Il soupira. Plusieurs des fines plumes sombres qui encerclaient ses disques faciaux avaient mué. Il commença à pivoter lentement sur lui-même, à petits pas, pour étudier chaque partie de son plumage dans l'onde miroitante sous la lune. « Bon, adieu le peigne... Il fait partie de l'histoire ancienne. Je dois être l'oiseau le plus bruyant de la région. Oh, grand Glaucis, songea-t-il en se dévissant le crâne, est-ce qu'il me reste seulement une plume sous la queue ? Pas étonnant que j'aie du mal à manœuvrer ! Je crois que j'ai toutes mes primaires... Mais... oh-oh ! où est ma numéro onze ? »

Ce cher Philippe, en plus de lui enseigner quelques lettres en les griffonnant dans la terre du bout d'une serre, lui avait appris à compter. Du moins, jusqu'à dix-neuf, car les chouettes effraies ne possédaient que dix-neuf rémiges sur chaque aile. Les dix premières en partant de la pointe étaient les primaires et les neuf suivantes, les secondaires. D'après Philippe, au-delà de dix-neuf, on entrait dans les « mathématiques supérieures ». Les Gardiens de Ga'Hoole, eux, maîtrisaient les mathématiques supérieures. Le Grand Arbre abritait les chouettes les plus savantes de l'univers.

« J'ai conservé toutes mes primaires, pensa Nyroc, de quoi je me plains ? Après tout, c'est l'essentiel. J'ai aussi la plupart de mes tectrices. Il me manque juste une secondaire et... pas mal de couvertures. Bref : je peux voler ! Enfin, à peu près. »

Il se promit de ne plus gémir ni pleurnicher. Il n'était plus un petit poussin, même si sa mue n'était pas terminée. En une seule nuit, il avait franchi le cap de son enfance.

Il ne lui restait plus qu'à se faire discret et à attendre patiemment que ses plumes repoussent. Les chouettes appréciaient rarement qu'un étranger s'invite sur leur territoire et même s'il mourait d'envie de vivre dans un creux pareil à ceux que Philippe lui avait décrits, il devrait se contenter de nicher au ras du sol pour le moment. Il guetterait les petits rongeurs qui ne manqueraient pas de passer sur cette plage de galets. En revanche, à l'heure des premières neiges, il pouvait faire une croix sur les insectes.

Il repéra un arbre mort sur un talus élevé, au bord de l'eau. Une violente tempête l'avait déraciné et jeté par terre. Ferait-il une maison convenable ? Nyroc décolla à grand-peine et alla inspecter le tronc.

21

Home, sweet home

Par chance, l'arbre pourri présentait un large éventail de recoins douillets. Derrière les énormes paquets de racines tordues et de mottes de terre, on trouvait des cachettes confortables. Il y avait aussi plusieurs creux dans le tronc épais, des gros et des petits – tous inoccupés. Nyroc se demanda, inquiet, ce qu'il ferait si un renard venait renifler à l'intérieur, car il n'était sûrement pas d'attaque pour affronter ce genre d'animal. Mais il n'aurait pas détesté croiser un petit tamia ou un rat. Il mourait de faim.

L'épuisement, cependant, lui pesait encore plus que la faim. Au premier rayon de soleil, il s'installa à mi-hauteur du tronc. Il était si fatigué qu'il s'endormit sur un coussin de mousse sans y prêter attention. Il s'agissait de cette mousse très douce, la préférée de Philippe, qu'on appelait « mousse d'hermine ».

À son réveil, le soir suivant, le paysage était blanc et un manteau de neige épaisse recouvrait le lac. Son estomac criait famine. Les doux bruits qui l'avaient bercé pendant son sommeil – le craquement des arbres dans le vent, surtout, et le cliquetis de petites griffes sur les galets – lui parvenaient étouffés par la neige. Comment chasser dans ce silence ? Comment pister les souris et les campagnols ?

Il sortit prudemment de son trou et cligna des yeux. Un froid glacial souffla sur ses ailes à demi nues. Il parvint à détecter un bruissement presque imperceptible qui semblait provenir de l'intérieur du tronc. Il rentra vite dans son creux et écouta. Apparemment, il avait pour voisin un insecte rampant. Des bestioles auraient donc survécu à ce froid de canard ? C'est vrai que le tronc gardait bien la chaleur. D'ailleurs, il n'avait pas été gêné par la température en dormant. Tandis qu'il méditait cette pensée, une étrange et minuscule créature passa à côté de son bec. Il la croqua sans même prendre la peine de la regarder. Elle était croustillante à l'extérieur et fondante au-dedans. Miam! Il l'avala goulûment et se sentit aussitôt revigoré. Puis il en vit une deuxième arriver. Il la mangea aussi sec et gratta autour de l'ouverture par où elles étaient apparues pour l'agrandir. Le bois pourri était percé de nombreuses galeries. Un jour, Nordu lui avait dit que rien ne valait une bonne vieille souche pourrie pour se régaler. Il ne s'était pas moqué de lui: un véritable festin d'insectes, de vers et de bébêtes en tout genre grouillait là. Il y avait amplement de quoi apaiser sa faim.

La chance allait-elle tourner? Et si Glaucis avait posé là ce refuge idéal pour Nyroc? Ses petits habitants n'offraient pas la même consistance qu'un bon morceau de viande saignante mais ils suffisaient à lui redonner des forces. Et puis, dès que ses plumes auraient repoussé, il pourrait à nouveau chasser. Peut-être la neige aurait-elle fondu d'ici là.

Il décida de se reposer et se rendormit, repu et en sécurité.

Chaque jour il retrouvait un peu d'énergie. Il passait la majeure partie de son temps à réfléchir au sens de sa vie. La tiédeur de son creux et le croquant des insectes ne suffisaient pas à lui faire oublier la tristesse de sa nouvelle existence. Il était seul. Complètement seul. Son unique ami était mort. Nyra, qui prétendait l'aimer à sa façon, avait assassiné Philippe, qui l'aimait au point de se sacrifier pour lui. Comment l'amour pouvait-il apparaître sous des visages aussi différents ? Son oncle Soren gardait-il de l'affection pour le frère qui avait tenté de le tuer ? Est-ce pour cette raison qu'il avait hésité à le blesser dans la grotte, pendant leur dernier duel ?

« Moi, je crois qu'aimer quelqu'un, c'est le connaître sur le bout des griffes et sentir au fond de son gésier et de son cœur qu'on peut avoir confiance en lui. Oui, l'amour et la confiance vont de pair, comme l'aile gauche et l'aile droite », pensa-t-il. Et il était sûr d'autre chose, c'est que l'amour était plus fort que la haine. Sans l'affection de Philippe, il n'aurait pas eu le courage de défier sa mère. Et par amitié pour Philippe, il s'était juré de ne jamais retourner auprès des Sangs-Purs. Peut-être était-ce aussi l'espoir d'être aimé qui le conduisait vers son oncle Soren ? Le pouvoir de l'amour dépassait l'imagination.

Nyroc s'habitua à son tronc d'arbre et à son régime

quotidien d'insectes. Il fuyait les autres chouettes, craignant que Nyra n'ait envoyé des espions à sa recherche. Il redoutait également les mercenaires qui auraient pu le livrer aux Sangs-Purs en échange d'un morceau de gibier. Dormant la nuit, chassant le jour, il vivait à l'écart de ceux de son espèce.

Pelotonné dans sa cachette, il entendait les autres oiseaux nocturnes rentrer au nid à l'aube. Il adorait épier les familles de chouettes tandis qu'elles dégustaient leur repas de matine ou se préparaient à dormir. Les bruits domestiques le rassuraient. Parfois il s'aventurait près d'un creux habité et se dissimulait derrière un tronc ou un buisson pour écouter. Les poussins l'amusaient. Ils faisaient un boucan pas possible quand on leur promettait une histoire, juste avant le câlin du matin.

Leurs parents leur racontaient parfois des légendes de Ga'Hoole. C'est ainsi que Nyroc les découvrit. Elles l'intéressaient beaucoup, surtout celle qui parlait du roi Hoole et qu'on appelait le Cycle du feu. Depuis que Nyra lui avait affirmé qu'il deviendrait aussi grand que le roi Hoole des temps anciens, il avait hâte d'en savoir plus sur ce noble personnage. Bien sûr, cela le rendait aussi un peu nerveux. Mais pour le moment, il n'avait toujours pas réussi à suivre son histoire en entier. Chaque fois, un vent d'hiver faisait craquer les branches et emportait les mots comme des feuilles mortes. Puis, finalement, vint une nuit calme où Nyroc put entendre une longue partie du récit.

— C'était au temps des éruptions sans fin. Des années durant, dans un pays appelé Par-Delà le Par-Delà, les flammes ne cessèrent d'écorcher le ciel, donnant nuit et jour aux nuages l'éclat rougeoyant des braises. Les volcans assoupis pendant des siècles s'étaient réveillés. Une épaisse couche de cendres recouvrait le paysage. On crut d'abord que Glaucis tout-puissant avait jeté une malédiction sur la terre, mais il en était tout autrement, car Grank, le premier charbonnier, allait bientôt voir le jour. Le monde des chouettes et des hiboux découvrit alors que le feu pouvait être apprivoisé.

Grank, un hibou petit duc à moustaches, apprit à fabriquer toutes sortes d'armes et d'instruments grâce aux charbons crachés par les volcans. Il perça les mystères du feu, de la lave et des braises, des mouvements d'air tourbillonnants qui soufflaient autour des cratères et des poches de gaz mortels qui tuaient sur l'instant n'importe quel animal pris au piège. Puis une nuit, au cœur de l'hiver, il eut une vision étonnante dans le blizzard. Un volcan, qui n'était pas le plus puissant, venait d'entrer en éruption. Tous les charbons qui jaillirent de son cratère s'éteignirent sitôt tombés dans la neige profonde. Sauf un. Celui-ci avait un aspect étrange.

La maman chouette qui récitait la légende à ses poussins baissa soudain la voix et prit une intonation mystérieuse.

— Cette braise, comme beaucoup d'autres, était d'un rouge orangé. Mais en y regardant de plus près, Grank s'aperçut qu'elle avait un cœur de saphir et, plus étonnant encore, que ce cœur était entouré d'un liseré vert scintillant. Cette pépite de feu peu ordinaire serait plus tard appelée le Charbon de Hoole.

Nyroc écarquilla les yeux et sentit son gésier se pétrifier. La maman chouette venait de décrire avec précision l'objet que lui avaient montré les flammes de Gwyndor ! Un concert de piaillements s'ensuivit : un poussin avait fait une bêtise.

— Oh, non ! Il est parti !

— Je te l'ai répété des milliers de fois, gronda la femelle. On ne joue pas avec l'insecte avant de le manger ! Tu n'auras plus de friandise avant de dormir. Jouer avec la nourriture est dégoûtant et cruel. Seuls les Sangs-Purs s'amusent avec leurs proies.

Nyroc eut envie de rentrer sous terre. Il avait vu les lieutenants, et même sa mère à l'occasion, lancer en l'air un rat agonisant avant de le dévorer. Le sang giclait partout, et il n'avait jamais trouvé cela très drôle, mais de là à penser que c'était mal...

— Maman, gémit un petit, finis l'histoire, s'il te plaît.

« Oui, s'il vous plaît », supplia Nyroc intérieurement.

— Elle est trop longue, mes enfants. Il me faudra plusieurs jours pour la terminer. Allez, tout le monde au dodo. Demain, Eddie passe sa cérémonie de la Chasse dans la neige. Il doit se reposer.

— Oui, il faut que je dorme pour prendre des forces. Chasser dans la neige est très difficile.

« Je ne le lui fais pas dire, songea Nyroc. Surtout quand personne ne vous a appris... » Une fois de plus, un terrible sentiment de solitude l'envahit. Comme Philippe lui manquait ! Dans les moments difficiles, il rêvait souvent de lui. Il était tourmenté par d'affreux cauchemars où il regardait Nyra attaquer l'effraie ombrée, cloué au sol, impuissant, ses ailes nues lourdes comme de la pierre, incapable de porter secours à Philippe. Bref, il revivait la mort traumatisante de son ami. Il se réveillait exténué au point du jour, mais il devait encore puiser dans son gésier la force de sortir chasser.

Un matin, cependant, Nyroc bâilla à se décrocher la mandibule et se rendormit illico sans s'en rendre compte. Alors que les rayons du soleil déversaient leur lumière éblouissante par tous les trous et fissures de la souche pourrie, il fit un nouveau rêve.

Une chouette tachetée se tenait perchée sur la branche d'un arbre immense qui ne pouvait être que le Grand Arbre de Ga'Hoole. Nyroc sentait presque souffler les brises salées envoyées par la mer d'Hoolemere. La femelle pleurait. Elle paraissait aussi esseulée que lui. Pourtant une forme brumeuse planait près d'elle – une autre chouette tachetée, plus âgée, semblait-il. Un scrome ! Il l'entendit appeler doucement :

— *Otulissa ! Otulissa !*

Mais la jeune chouette n'écoutait pas.

— *Otulissa!* insista le scrome. *Otulissa!*

« Quel nom étrange », songea Nyroc. Les deux silhouettes disparurent dans un nuage vaporeux et les contours de l'arbre se brouillèrent.

La lumière du jour s'immisça dans son rêve et sa vision se dissipa en milliers de gouttelettes de rosée étincelantes. Son creux était inondé de soleil lorsqu'il s'éveilla. Il cligna des yeux et jeta un coup d'œil dehors. La matinée était déjà finie. Malheureusement, les journées d'hiver s'écoulaient vite. Il aurait de la veine s'il lui restait assez de temps pour traquer le gibier avant que les premiers animaux nocturnes se mettent à rôder en quête de leur dîner. Il secoua la tête, troublé. Il se souvenait à peine de ce rêve étrange. Un nom avait été prononcé. Il ne se le rappelait pas, mais il était certain de l'avoir entendu très distinctement, comme si un scrome l'avait murmuré à son oreille. L'idée d'être hanté par un deuxième scrome lui glaça le sang. Il fit un pas hors de sa cachette et se tint à l'affût des bruissements sourds des petits animaux de la forêt. « O... O... O tu... quelque chose. » Il l'avait sur le bout de la langue ! Ce nom curieux était aussi difficile à saisir qu'une goutte de pluie sur une pierre brûlante.

Il continua d'apprendre les légendes de Ga'Hoole grâce aux papas et aux mamans des environs. Il découvrit par bribes le Cycle du feu, le Cycle des guerres et aussi le Cycle des étoiles. Mais c'était surtout les mythes des premiers charbonniers qui le passionnaient. Comme il enrageait quand les parents disaient : « Nous savons tous comment s'est déroulée la nuit où Hoole a éclos. » Il avait envie de hurler : « Non ! Pas moi ! Je vous en prie, racontez en entier ! » Mais, bien sûr, il devait rester muet et tapi dans l'ombre, solitaire.

Très loin de la forêt des Ombres, par-delà la mer d'Hoolemere, une chouette tachetée rêvait elle aussi. Elle aurait bientôt tout oublié et pourtant les moindres détails de son rêve lui semblaient si réels. Elle croyait sentir sur ses plumes l'haleine de ces loups monstrueux qu'on appelait les loups-terribles. Ils arpentaient les flancs du volcan de leur pas souple en surveillant de près son cratère. Celui-ci renfermait un trésor plus précieux que l'or et les paillettes : le Charbon de Hoole. « Pourquoi le garder? Ce n'est pas logique, s'entendit-elle dire au plus gros des carnivores. Une chouette qui tenterait de plonger pour s'en emparer mourrait dans les fumerolles et les flammes. Quel temps perdu!»

Les loups s'arrêtèrent net et ouvrirent grand leur gueule. Leurs longs crocs brillèrent au clair de lune tandis qu'ils aboyaient de rire.

«Pourquoi se moquent-ils de moi?» s'interrogea-t-elle. Elle descendit à tire-d'aile le versant le plus pentu du volcan. Les frémissements de la montagne de feu secouaient la terre. Des étincelles jaillissaient et pleuvaient de toutes parts. «Il faut que je déguerpisse, sinon je vais être brûlée vive.» Une braise tomba sur une de ses tectrices. Elle s'en débarrassa vite mais déjà l'odeur de plume roussie lui chatouillait le bec. Elle avait plongé dans des centaines de feux de forêt, cueilli des milliers de charbons avec le squad des charbonniers, s'était battue en brandissant des branches enflammées, et voici que, pour la première fois, elle se brûlait.

Subitement, le décor changea. La chouette tachetée survolait la mer d'Hoolemere. Face à elle, une aile déchirée, l'autre en flammes, sa ryb préférée, Strix Struma, piquait vers les flots.

« Mais j'ai déjà vécu cette scène ! Non, je ne veux pas ! murmura-t-elle, horrifiée. C'est trop réel, trop réel. » Hypnotisée, incapable de remuer une aile, elle pleura pour la seconde fois la mort de sa chère professeure. Puis, soudain, une chouette surgit des eaux tumultueuses. Il ne s'agissait pas de Strix Struma. Le plumage couleur chamois était parsemé de minuscules taches marron. Le cri perçant d'une chouette effraie fendit le ciel : ce mâle était au désespoir, il réclamait de l'aide. Elle voulut voler vers lui, mais ses ailes refusaient d'obéir. Elle piqua dans les orties. « C'est impossible, protesta-t-elle. Je n'ai jamais piqué dans les orties de ma vie. Pas même au combat. Jamais ! »

Quand elle se réveilla à l'ombrée, l'écho du cri strident et le rugissement des vagues continuaient de résonner à ses oreilles. Elle pensa qu'un orage couvait au-dessus de la mer d'Hoolemere. Ezylryb avait annoncé de vilaines averses en provenance de la forêt des Ombres. Otulissa était un esprit rationnel. Elle ne croyait pas aux rêves. Elle n'avait foi qu'en la science. Alors elle décida que l'arrivée de la dépression était responsable de sa fatigue et de ces bourdonnements désagréables. « Voyons ce qu'a écrit ma chère aïeule Strix Emerilla à ce sujet », se dit-elle en tendant la patte vers un de ses livres préférés, *Pressions atmosphériques et turbulences : le guide*, l'ouvrage de référence de la célèbre météorotrix.

Dans la forêt des Ombres, les jours rallongeaient peu à peu. Les orages, qui continuaient à faire de nombreuses victimes parmi les arbres vieux et fragiles, s'espacèrent. L'hiver tirait à sa fin et les neiges commencèrent à fondre. Le soleil, qui était longtemps resté timidement au ras de l'horizon, se mit à grimper plus haut dans le ciel, signe que le printemps n'était plus loin. Les plumes de Nyroc repoussaient. Comme il n'osait plus se mirer dans l'eau noire du lac la nuit, par crainte de voir surgir le masque de brume terrifiant du scrome de son père, il comptait ses rémiges en tordant son cou élastique dans tous les sens. Ses couvertures sous-caudales réapparurent les premières, avec les plumes de son peigne. Le soir où, enfin, sa nouvelle numéro onze se présenta, il faillit hurler et hululer de joie! À la place, pour fêter l'événement, il inventa une chansonnette, une petite comptine rigolote. Philippe lui avait dit que les mamans – du moins, la sienne – en chantaient souvent à leurs enfants. Mais ce n'était pas le style de Nyra. Il se promit de se souvenir toujours de ces paroles pour les fredonner à sa première couvée:

Où est ma petite plume?
Elle est partie sur la lune.
Belle plume, reviens ici!
Ah! la revoici!

Il chantonnait à voix basse en sautillant gaiement d'un bout à l'autre de son creux.

Il savait que, bientôt, il devrait quitter son tronc rassurant, son petit nid auquel il s'était attaché. La mousse d'hermine commençait à se désagréger. Il la remplaçait au fur et à mesure par une mousse qu'il cueillait à proximité, mais qui n'était pas si douce. Il ignorait encore où il irait. Il rêvait de visiter l'endroit où Philippe avait éclos – cette forêt magique, la plus belle de toutes: la forêt du Pays du Soleil d'Argent. Il fuirait aussi loin que possible des canyons de Saint-Ægo, en tout cas. Avec le retour du beau temps, sa mère redoublerait d'efforts pour le retrouver. Et puis il avait revu le scrome de son père, suspendu au-dessus du lac par une nuit de pleine lune. Oui, il partirait au printemps.

Les premiers bourgeons éclatèrent. Sur le lac, de larges feuilles plates se déployèrent. Nyroc ne se lassait pas de les admirer, subjugué par leur teinte vert vif. Au printemps succéda l'été. À la surface de l'eau, de splendides fleurs roses s'épanouirent sur les feuilles rondes, transformant le lac en superbe jardin aquatique.

Son séjour dans les bois l'enrichissait chaque jour davantage. En plus de la couleur verte et des légendes récitées à l'aube, Nyroc s'était familiarisé avec la vie des familles normales. Il avait entendu les parents gronder gentiment leurs oisillons et leur faire la leçon sur ce qu'ils appelaient « les bonnes manières ». Il adorait les berceuses que les mères fredonnaient tendrement pour aider leur couvée à s'endormir avant le lever du soleil.

Un matin, au moment où les coulures roses de l'aube commençaient à se répandre dans le ciel, il entendit la voix de carillon d'un nyctale entamer le récit d'une de ses histoires préférées :

— Il était une fois une chouette née au pays des mers glacées du Grand Nord, qui se nommait Hoole. En ce temps-là, les royaumes d'aujourd'hui n'existaient pas et la terre était ravagée par des guerres sans fin. Hoole était doté de pouvoirs extraordinaires et certains prétendaient qu'un gentil génie s'était penché au-dessus de son œuf pour lui jeter un charme. Il était capable d'inspirer de nobles exploits à tous ceux qui le rencontraient. Bien qu'il n'eût pas de trône, ses semblables le révéraient comme un roi. Sa générosité sans bornes était sa couronne, et son caractère magnanime, son sceptre. Hoole avait éclos dans un bois aux arbres immenses et droits, sous un ciel scintillant, à cet instant magique où le temps ralentit pour célébrer le passage entre l'année qui s'achève et celle qui commence. Cette nuit-là, la forêt était recouverte d'un magnifique manteau de glace.

Lorsque la voix mélodieuse se tut, Nyroc sut que tous les poussins de la forêt dormaient et qu'il était temps pour lui de sortir chasser sous le soleil. Il était fatigué de devoir se cacher. Mais il voulait profiter encore un peu de cet arbre mort, de son nid douillet avec ses recoins, ses tunnels et cette fabuleuse quantité de mousse et d'insectes en tout genre.

« Non, c'est trop tôt, songea-t-il. Pas encore. Je préfère attendre encore un peu. Rien qu'une journée. Rien qu'une petite nuit de plus. »

22

L'énigme de la forêt

Les forêts se métamorphosent entre le jour et la nuit, surtout l'été, quand une vague de chaleur s'abat sur les futaies. Plus rien ne bouge ; l'air est lourd, l'atmosphère calme. Une abeille bourdonne paresseusement par ici ; par là, un poisson dessine une courbe argentée avant de retomber dans son étang avec un joyeux plouf. Mais dans l'ensemble, un silence quasi absolu règne dans la forêt entre le milieu de la matinée et la fin de l'après-midi.

Et puis la forêt se réveille dans la fraîcheur du crépuscule. Les chouettes sortent chasser, ainsi que le lynx, le renard et le raton laveur. Le rat musqué et le castor abandonnent leur domicile pour sillonner l'eau sombre. Les herbes qui poussent dru sur la berge scintillent à la lueur des lucioles. Nyroc rêvait de rejoindre ce monde si attirant. Mais il n'osait pas.

Depuis quelque temps, comme pour le provoquer et l'obliger à sortir de son antre, un lapin dodu se montrait juste au moment où le soleil glissait derrière l'horizon. Il s'arrêtait devant un arbrisseau et restait planté là pendant une éternité, jusqu'à la nuit noire. Souvent, il ne repartait pas tant que la lune n'avait pas atteint son zénith. Fait encore plus bizarre, le lapin se dressait parfois sur ses pattes arrière et semblait entrer dans une sorte de transe. Ses apparitions étaient une grande énigme pour Nyroc. D'abord, comment avait-il survécu jusque-là ? Les lapins figuraient parmi les proies préférées des oiseaux nocturnes. Il semblait impossible qu'un beau spécimen grassouillet tel que lui, qui se tenait immobile des heures durant, ne se soit pas encore fait attraper. Pourtant, nuit après nuit, Nyroc observait l'étrange créature, la faim au ventre, salivant à l'avance à l'idée de déguster sa chair succulente.

Un matin, après qu'une dernière berceuse eut résonné dans le sapin voisin, et qu'en haut de son chêne la petite chouette lapone eut réclamé une dernière histoire,

« juste une », à son papa, Nyroc jeta un coup d'œil hors de son creux : le lapin était là, en équilibre sur ses pattes arrière, presque à portée de ses serres. Il étudiait avec beaucoup d'attention un des rameaux rabougris de l'arbre mort. Tout doucement, Nyroc sortit de son trou et bondit sur sa victime. Il ne s'attendait pas du tout à ce qui allait suivre. Le lapin tourna la tête vers lui et lui dit avec force :

— Non ! Souviens-toi du campagnol !

— Quoi ?

C'était bien la première fois qu'une proie se rebellait. En général, elle mourait sur le coup, transpercée par ses serres. Si elle n'était que blessée, elle paniquait et se pétrifiait. Parfois, elle couinait ou gémissait de douleur. Mais parler ? Jamais !

— Le campagnol, celui que tu as laissé filer dans la tanière.

Pris au dépourvu, Nyroc le relâcha. Comment savait-il cela ? Cet épisode s'était déroulé très loin, dans les canyons, et de longs mois auparavant. L'animal se secoua légèrement.

— Ne t'inquiète pas. Tu ne m'as pas fait mal. À peine une égratignure.

Trop stupéfait pour répliquer, Nyroc se sentit pris de vertiges et se mit à tanguer sur ses serres.

— Allons, allons, petit, fit le rongeur en tendant une patte pour le stabiliser. Je ne voudrais pas que tu t'écroules sur ma toile. D'autant que j'en tiens une pleine d'informations.

Nyroc l'examina en clignant ses paupières. Son pelage était gris-brun tendre, avec l'extrémité des pattes d'un blanc de neige, et il portait sur le front un petit collier de fourrure blanche en forme de croissant.

— Voilà. Regarde-moi bien et prends ton temps. Je ne suis pas qu'un simple casse-croûte – une finegoulette, une matine, ou ce que tu voudras. D'ailleurs, je ne suis pas simple du tout. Mais je suis un vrai lapin. La preuve : tu veux un joli mignon froncement de nez ? Il n'y a qu'à demander.

Il plissa aussitôt la peau rose et veloutée de son petit museau.

— Tu préfères que je tortille de la queue ? Tiens ! Ou

que je batte des oreilles ? Je sais : des bonds. Tu veux que je te montre un bond ?

Il fit une pause et dévisagea Nyroc.

— Pour l'amour de Garenne, dis quelque chose !

Au bout de quelques secondes, la chouette finit par articuler :

— Qui est Garenne ?

— Le Grand Lapin.

Il leva au ciel ses yeux bordés de rose.

— Tu as Glaucis ; moi, j'ai Garenne.

— Ah... Mais comment as-tu su à propos du campagnol ?

— Ça, c'est une question intéressante !

Il s'approcha de Nyroc.

— Tu te sens un peu plus d'aplomb maintenant ?

— Oui, je crois.

— Alors suis-moi.

Il se dandina jusqu'à la toile d'araignée accrochée entre le tronc de l'arbre et le rameau. Un vrai chef-d'œuvre ! Elle était immense, scintillante et parsemée de diamants de rosée.

— Elle est belle, hein ? Une toile de maître !

Nyroc se rangea à l'avis du connaisseur.

— Oui, répondit-il.

Une légère brise souffla et les fils frémirent. Le lapin se figea.

— Ne me dérange pas, ordonna-t-il.

« Ça ne me serait pas venu à l'idée », songea Nyroc.

Quelques minutes plus tard, le rongeur sortit de sa transe et se tourna vers lui.

— Exactement ce que je pensais.

— Quoi ? Tu pensais quoi ?

Le lapin éclata de rire et tapa sur sa bonne joue rebondie du plat de sa longue patte.

— Oh, que je suis bête ! J'ai oublié de t'expliquer, hein ?

— Ben oui, rétorqua Nyroc, un peu agacé. Qui es-tu ? Que fais-tu ?

— Je suis une sorte de devin... Je vois des choses qui sont invisibles aux autres.

— Dans les toiles d'araignées ?

Nyroc nageait dans la confusion.

— Exactement. Je suis un liseur de toiles.

Il tapota le croissant de poils blancs sur son front.

— À ma connaissance, seuls les lapins qui possèdent cette marque ont le même don que moi. C'est notre signe distinctif. À ton avis, pourquoi ai-je survécu aussi longtemps dans ces bois ?

— Euh... parce que tu es un liseur de toiles ?

— Voilà !

— Et tu vois quoi dedans ?

— Oh, des trucs et des machins...

— Tu m'as vu relâcher le campagnol, par exemple ?

— Oui.

— Et quoi d'autre ?

— Eh bien... Parfois, je vois le passé, parfois le présent. Dans certaines toiles, je lis l'avenir. Mais je n'obtiens jamais une histoire en entier, seulement des morceaux du puzzle.

— Tu peux me parler de mon avenir ? demanda Nyroc, excité. Je vais aller où ? Je vais faire quoi ? Est-ce que je vais rencontrer mon oncle Soren et les Gardiens de Ga'Hoole ? Est-ce que le scrome de mon père va me hanter à jamais ?

Un torrent de questions s'écoulait du bec de Nyroc. Dire qu'il avait voulu dévorer ce merveilleux lapin !

— Moins vite ! Moins vite ! Tu ne m'as pas entendu, mon garçon ? J'ai dit que je ne pouvais saisir que des pièces du puzzle. Et en général, j'ignore leur signification. Elles sont aussi énigmatiques pour moi que pour le premier venu.

— Je pense à un truc : si tu vois un bout de mon avenir et que tu m'en parles, alors je pourrai choisir de ne pas faire ce que tu as annoncé ? Du coup, le futur ne correspondrait plus à l'image de la toile.

— Pas du tout, se récria le lapin. Les scènes que je découvre sont très nettes. Je t'ai parfaitement vu relâcher ce campagnol et pourtant il s'agissait d'une toile en tente toute simple, pas d'un tissage sphérique sophistiqué.

— Tente ? Tissage sphérique ?

— Chaque espèce d'araignées a son propre style d'architecture. On trouve des constructions en dôme, en tunnel, en tente, des maillages sphériques, des basiques en forme d'étoile... Je pourrais en énumérer des dizaines. Mais les toiles sphériques sont particulièrement riches en informations sur le passé. En plus, elles sont superbes ! D'une beauté époustouflante, je t'assure. Quoi qu'il en soit, la connaissance d'incidents passés ou à venir n'influe en rien sur le cours des événements.

— Faux: quand tu m'as dit «Souviens-toi du campagnol», je t'ai lâché aussitôt. Donc ça a eu une conséquence directe sur mon action.

— Ça n'a aucun rapport!

Le lapin prit un temps de réflexion avant d'ajouter:

— J'ai senti que tu étais plein de compassion, je te l'accorde. Tu as accompli un geste très généreux en renonçant à ce campagnol.

— Pas du tout! Je l'ai lâché parce qu'on m'a ordonné de le faire.

— Ha! C'est moi qui ai raison! Cas typique: j'ai mal interprété ma vision et j'ai fondé ma réaction sur une logique erronée.

— «Erronée»?

— Oui: qui comporte des erreurs. Néanmoins, j'ai obtenu le dénouement que j'espérais. Ça arrive parfois. Mais c'est juste un coup de bol.

Nyroc resta perplexe. Les explications du lapin se tenaient mais il était convaincu que ce dernier lui cachait des choses. Pourquoi avait-il pris le risque de le narguer à la sortie de son creux ? Pourquoi cette fameuse toile sphérique lui avait-elle fourni des renseignements sur une jeune chouette effraie plutôt que sur n'importe quelle autre créature vivant sur la planète ?

— Pourquoi moi ? demanda Nyroc.

— Comment ça, « pourquoi moi » ?

— Pourquoi est-ce que les toiles t'ont parlé de moi et pas de quelqu'un d'autre ?

Le lapin se rembrunit et son nez se mit à trembloter.

— Parce que tu as un destin important à accomplir.

— Tu ne peux pas m'en dire plus ?

— J'aimerais bien, si je le pouvais. Mais ça ne changerait rien, de toute façon.

— Peut-être que si.

— Non, je viens de te l'expliquer. Je risquerais encore de me tromper. Et puis...

— Et puis ?

— ... tu as ton libre arbitre. Tu es libre de prendre tes propres décisions. C'est seulement ainsi que tu trouveras ta voie. Au fond de toi, tu sais ce que tu dois faire, Nyroc. Tu le savais déjà quand les dernières neiges ont fondu.

— Oui. Je dois partir, n'est-ce pas ?

Le lapin hocha la tête en silence. Quelques instants passèrent puis Nyroc ajouta :

— Je pensais aller au Pays du Soleil d'Argent. Il paraît que c'est magnifique là-bas.

— Possible.

Il comprit que le mystérieux rongeur n'approuvait pas son choix. Après un blanc dans la conversation, il demanda :

— Au fait, comment connais-tu mon nom ?

Le lapin haussa les épaules.

— Oh, déchiffrer un nom, c'est l'a b c du liseur de toiles. Rien de plus facile. Le plus dur est de l'associer à un visage.

— As-tu déjà trouvé le mot « Soren » dans tes toiles ?

— Nan.

Nyroc soupira, déçu.

— Ou « Tonton Soren » ?

— Non plus. En revanche, il y en a un qui m'est apparu dans cette toile-ci ce matin.

— Lequel ? s'enquit Nyroc d'un air curieux.

— Fengo.

— Fengo ? Il s'agit d'une chouette ?

Le lapin haussa de nouveau les épaules.

— Peut-être... À moins que ce ne soit un animal très différent. Un animal que tu aurais aperçu par hasard ?

— Moi ?

— Tu distingues des choses dans le feu, pas vrai ?

— Mais com... ? Je ne l'ai confié à personne !

— Pourtant je crois que quelqu'un d'autre est au courant. Comme moi, tu ne vois que des images incomplètes. Des morceaux de puzzle.

— Oui, murmura Nyroc.

Il se rappela sa première vision dans les flammes de Gwyndor, les crépitements du bois, les créatures bondissantes, le paysage inconnu...

— Le Pays du Soleil d'Argent t'est apparu dans le feu ? demanda innocemment le lapin.

— Je... je n'en suis pas sûr. Est-ce que la toile t'a montré une forêt qui y ressemblait ?

— Non. Pas la moindre feuille. Pas une branche. Pas un ruisseau. Rien.

Nyroc hésita à évoquer les quadrupèdes et leur territoire bizarre, puis renonça. Il n'avait pas tellement envie d'en discuter, en vérité.

— Tu sais, au début, j'avais du mal à lire les toiles. Il faut un sacré entraînement. Avec toutes ces formes différentes...

Il cita à toute allure une demi-douzaine de genres de toiles qu'il avait oublié de mentionner auparavant.

— On a besoin de temps, poursuivit-il. Je ne serais pas étonné s'il existait autant de sortes de flammes et de charbons. Je te conseille d'en chercher et de pratiquer pour aiguiser tes talents. Et puis, avec un peu de chance, ça te donnera l'occasion d'apprendre des détails intéressants sur ton avenir.

— Impossible : je ne connais aucun forgeron par ici.

— Et alors ? Surveille les environs au cas où un incendie se déclarerait. Bien sûr, il y a aussi les feux perpétuels de Par-Delà le Par-Delà.

Nyroc sursauta.

— On t'en a déjà parlé ? fit le lapin.

— J'ai entendu des parents raconter des histoires à leur nichée à propos de ce pays.

— Ah, le Cycle du feu des légendes de Ga'Hoole...

— Cet endroit n'existe pas en vrai, n'est-ce pas ?

— Si. Il est tout à fait réel.

— Tu penses que je devrais y aller ?

— Je ne peux ni penser ni décider à ta place. Toujours est-il qu'il y a là-bas des feux extraordinaires. Les premiers charbonniers y ont tous vécu. Si tu veux te perfectionner dans la lecture des flammes, c'est l'endroit idéal.

— Oui, sûrement. Mais... pas tout de suite. Un jour, peut-être, dit-il d'un ton triste.

Le lapin lui jeta un regard interrogateur, puis il se fit dubitatif.

— Ouais, un jour, répéta-t-il sans y croire.

— Bon, je ferais mieux d'y aller maintenant.

— Oui, la nuit va tomber.

Nyroc en resta pantois. Il ne s'était pas rendu compte qu'ils bavardaient depuis des heures ! Le soleil était tapi sur l'horizon. Ses longs dards de lumière transperçaient les branchages au ras du sol. Les oranges intenses et les roses profonds du couchant embrasaient le lac.

« Oui, songea Nyroc, il est temps pour moi de partir. »

Ensemble, l'oiseau et le rongeur admirèrent le spectacle. Puis, quand les ombres lavande du crépuscule tournèrent au bleu prune, Nyroc sauta d'un bond sur son cher tronc d'arbre, qui l'avait hébergé pendant si longtemps. Alors qu'il s'apprêtait à prendre congé et à déployer ses ailes, il arrêta son mouvement et dit :

— Lapin, je ne connais même pas ton nom. Comment t'appelles-tu ?

— Oh, Lapin fera l'affaire.

— Mais tu dois bien avoir un prénom, insista-t-il.

— Oui, mais je ne peux pas te le dire.

— Pourquoi ?

— Je perdrais mes pouvoirs. Peut-être le liras-tu dans tes feux ? Qui sait ?

La chouette cligna des yeux.

— Au revoir, Nyroc.

— Au revoir, Lapin.

23

Un nouveau monde

Après avoir jeté un dernier coup d'œil plein de tendresse à sa drôle de maison, Nyroc traversa le sud de la forêt des Ombres, puis le nord de la Lande. Ce royaume méritait bien son nom : les arbres y étaient rares. Au bout de longues heures de lutte contre un vent de face, épuisé, il décida de marquer une halte et de grignoter un bout, quitte à se reposer sur un rocher. Du ciel, il entendit les bruissements caractéristiques de petits rongeurs trottinant sur le sol dur. « Pourvu que ce ne soit pas des lapins... songea-t-il. Je crois que je ne pourrai plus jamais en manger. » Une souris ou un tamia maigrelet suffirait à le caler avant qu'il reprenne la route.

Il amorça un virage, heureux de sentir à nouveau sa queue fonctionner normalement. Puis il se posa avec grâce sur un gros rocher et attendit patiemment qu'une proie lui passe sous le bec.

Comme il l'espérait, un animal ne tarda pas à faire irruption. Mais il ne s'agissait pas de son prochain repas. Une jeune chouette des terriers venait de surgir d'un trou bien camouflé. Ayant perdu l'habitude de parler à ses semblables, Nyroc se figea aussitôt dans une posture défensive en priant pour que son corps se fonde dans le paysage. Raté ! La jeune femelle l'aperçut, lâcha ce qu'elle tenait dans son bec et s'immobilisa à son tour. C'était Kalo, la fille de Harry et de Myrte. Harry avait finalement convaincu sa compagne d'essayer de vivre dans un arbre pour l'été, et la famille s'apprêtait à déménager au Pays du Soleil d'Argent.

Kalo écarquilla les yeux et le dévisagea avec une expression mi-ahurie, mi-terrorisée.

Il n'était pas un territoire, dans tous les royaumes de chouettes et de hiboux, qui n'ait accueilli avec joie la nouvelle de la défaite des Sangs-Purs contre les Gardiens de Ga'Hoole. Tout le monde savait cependant que si leur chef, Bec d'Acier, était mort, sa compagne, Nyra, vivait toujours. On l'apercevait même, de temps à autre, en divers endroits. Bien qu'elle ne l'ait jamais rencontrée, Kalo crut reconnaître en Nyroc le portrait qui circulait de bec à oreille. Les moindres détails coïncidaient : un visage très large, d'un blanc éclatant, dont la forme évoquait plus la pleine lune qu'un cœur, et puis la cicatrice qui courait en diagonale. Elle était si bouleversée qu'elle ne remarqua pas que cette chouette était un mâle. Non, pour elle, aucun doute : elle avait affaire à Nyra.

Elle prit son courage à deux pattes et bafouilla :

— Qu... qu'est-ce que vous faites ici ?

— Je me repose, je vais au Pays du Soleil d'Argent, répondit Nyroc.

— Au Pays du Soleil d'Argent !

L'écho provenait de l'intérieur du terrier. Myrte en sortit en se dandinant et s'arrêta net. Elle minoucha lorsqu'elle découvrit l'intrus. Nyroc tenta de se montrer aimable. Il fit un pas et se présenta :

— Je m'appelle Ny...

Il n'eut pas le temps de terminer sa phrase. Les deux femelles plongèrent dans leur tanière en poussant des cris affolés.

— Harry, elle est là ! Nyra est là ! Elle va au Pays du Soleil d'Argent. Nous ne partons plus. Hors de question. J'en ai plus qu'assez de tes idées à la noix !

Nyroc écouta, hébété, la prise de bec entre Myrte et son mari. Peu à peu, son esprit engourdi saisit la situation. « Ils me prennent pour ma mère. Ils pensent que je suis un Sang-Pur venu pour les capturer ou les tuer. » Écœuré, il déploya ses ailes et décolla.

À travers ses sanglots, il marmonna ce qu'il aurait aimé leur dire, s'il en avait eu le temps :

— J'étais juste venu me reposer. Je n'avais pas l'intention de rester. Je m'appelle Nyroc, pas Nyra. Je ne suis pas comme mes parents...

« Mais si, Nyroc ! gronda un chœur sinistre dans sa tête. On n'échappe pas à son destin. Où que tu ailles, tu seras haï et redouté. Retourne chez les Sangs-Purs. Rentre chez toi. Là-bas, tu seras vénéré. Tu es leur chef, leur roi. »

Dans la nuit opaque, une forme grise et lumineuse se mit lentement à tournoyer autour de lui. Puis il en repéra une seconde. Ce n'était pas le scrome de son père. Non, ils étaient trois, trois lambeaux de brume grisâtre évoquant de misérables chouettes dont les yeux vides luisaient d'un éclat cruel. Des hagsmons tout droit sortis de Hagsmire. Encerclant leur victime, ils se mirent à chanter d'une voix grinçante :

Nous sommes les voix des morts,
Écoute-nous, écoute-nous bien.
Prince faible, si tu fuis ton sort,
Tu seras des nôtres avant le matin.
Mais si tu regardes ton destin en face,
Tu régneras des déserts chauds aux déserts de glace.

Ces horribles paroles le firent frissonner. Menaçaient-ils à mots couverts de le tuer ? Cependant leur ronde étourdissante ne provoquait pas le moindre courant d'air. Au contraire, le vent de face contre lequel il luttait depuis son départ était presque tombé. Il secoua une aile, puis l'autre, inclina la queue, baissa la tête et, d'une voix très calme, il dit :

— Vous n'êtes rien. Pas même du vent.

Sur ces mots, il fonça droit sur les silhouettes floues qui semblèrent se dissoudre dans la nuit.

Mais son gésier tremblait toujours. Pourquoi l'avaient-ils poursuivi ? Pourquoi ce chant macabre ?

Nyroc força l'allure, plus déterminé que jamais à aller au Pays du Soleil d'Argent.

24
Une terrible beauté

Nyroc aperçut au loin une rangée de petites collines. Son cœur se mit à battre plus vite. Philippe lui avait décrit ces buttes. Juste au-delà, tout près, se trouvait la plus belle région du Pays du Soleil d'Argent, qu'on appelait Blythewold. Toutes sortes de chouettes y vivaient, dont de nombreuses effraies. On lui ferait sûrement bon accueil.

Bientôt il franchit les collines et la lune se leva enfin, baignant le paysage de sa lumière argentée. Il perçut le doux glouglou d'une centaine de ruisselets. Une brise légère caressait les joncs qui poussaient sur leurs rives. Une multitude d'arbres différents poussaient là. Certains possédaient de larges feuilles vertes qui bruissaient dans le vent, d'autres des feuilles rouges ou jaunes. Il découvrit même des arbres dont les longues branches fines et dorées retombaient au sol. Ceux-là croissaient au bord des innombrables lacs, dont ils balayaient la surface en émettant de doux soupirs. Oh, oui, voilà où il voulait passer sa vie. Il se présenterait et expliquerait qu'il avait abandonné les Sangs-Purs sans regret. Les habitants de ce territoire le croiraient sans doute.

Il sentait qu'il pénétrait dans un monde nouveau, qu'il se tenait au seuil d'une nouvelle vie. Fini le temps où il sortait de jour et se cachait la nuit. Il allait enfin se joindre aux merveilleuses activités nocturnes des autres chouettes, voler avec elles, chasser avec elles. Mais déjà l'aube commençait à poindre. Il devrait patienter toute une journée avant l'ombrée. Il avait tellement hâte !

Il lui parut un peu précipité de s'installer dans un creux, en haut d'un de ces magnifiques arbres. Il ne voulait pas risquer de déranger une famille au moment où les parents tentaient d'endormir leur nichée. Il trouverait bien un abri au sol. Des éclairs de chaleur silencieux déchiraient le ciel. L'air était lourd. Un orage d'été s'annonçait.

Il choisit une vieille souche pourrie tapissée de lichen et de mousse, idéale pour passer la journée. Dans un arbre voisin, une maman effraie venait de commencer une histoire du Cycle du feu. Alors qu'il était sur le point de succomber au sommeil, il sursauta tout à coup.

— Grank, le premier charbonnier, fut aussi le ryb du roi Hoole. Vous connaissez les premiers mots de la légende de Hoole, n'est-ce pas ?

Pour une fois, Nyroc aurait pu répondre oui. Il connaissait cette légende sublime par cœur. Pourtant la maman poursuivit par un récit qu'il n'avait jamais entendu :

— Certains commencèrent à craindre le grand Hoole avant même son éclosion, reprit la femelle d'une voix envoûtante. On racontait qu'un hagsmon de Hagsmire cherchait l'œuf pour le détruire. Le père de Hoole mourut assassiné plusieurs jours avant que la précieuse coquille ne se brise. Dans son dernier souffle, il dit à sa compagne : « Pars à la recherche de notre vieil ami Grank, il saura quoi faire. Nous n'avons pas le choix, mon amour. Nous vivons une époque dangereuse. Tu dois remettre l'œuf à Grank. Il en prendra soin et élèvera le petit comme s'il était le sien. » Elle sut qu'il avait raison –

même s'il n'est pas de plus douloureux sacrifice pour une mère que de se séparer de son œuf.

— Oh, maman, pépia un oisillon, tu ne te séparerais pas de nous, hein ?

— Si tu devais mourir en restant auprès de moi, si, je pense que je préférerais encore te laisser partir.

Nyroc n'en croyait pas ses oreilles. Il ignorait complètement cette partie du Cycle du feu. Ou s'agissait-il d'un extrait du Cycle de l'éclosion ?

— Et après, que s'est-il passé ? demanda une petite voix. Le poussin a appris à devenir charbonnier, comme Grank ?

— Soren est charbonnier, pas vrai ? s'enquit un troisième.

Nyroc sursauta et faillit se cogner la tête contre le plafond bas de la vieille souche. « Soren... un charbonnier ! Ils parlent de mon oncle ? »

— Oui, mon chéri, il paraît.

— Arrête de la couper, rouspéta un poussin. Maman, raconte-nous l'histoire du Charbon de Hoole.

— Une autre fois, mes enfants.

— Oh, non... s'il te plaît, maman... encore un bout...

Ils se mirent tous à la supplier et Nyroc se joignit à eux en pensée. Le problème avec les poussins, c'est qu'ils n'avaient aucune suite dans les idées. Ils étaient capables de réclamer un tout autre conte le lendemain matin et Nyroc devrait attendre une éternité pour entendre la fin des aventures de Hoole. Cette perspective le désespérait car, sans trop savoir pourquoi, il sentait que cette histoire avait un rapport avec lui et il brûlait de le découvrir.

Il bâilla, rompu de fatigue. La lumière du matin filtrait à travers les fissures de l'écorce. « Peut-être qu'un jour, si je vais au Grand Arbre de Ga'Hoole et que je rencontre mon oncle Soren, je deviendrai charbonnier moi aussi », songea-t-il.

« Ou peut-être pas ! » lança une voix moqueuse à l'intérieur de sa tête. Il sentit son gésier se durcir. Il entrouvrit un œil et regarda dehors. Une ombre grise se détachait sur le soleil levant. Le vent souffla sur la petite nappe de brouillard, qui tourbillonna puis se reforma. Terrifié, Nyroc vit apparaître les contours familiers de l'horrible masque – le bec d'abord, les yeux creux ensuite. Tandis que le soleil répandait ses flots de lave sur l'horizon, le masque s'enflamma. Et le bec remua.

« Ou peut-être pas ! » Les mots explosèrent dans la conscience de Nyroc. Il minoucha, pris d'une terreur qu'il n'avait encore jamais éprouvée.

Soudain, un fracas épouvantable retentit. La foudre s'abattit sur la forêt. Poussant des cris stridents, les oiseaux s'envolèrent de l'arbre dans lequel, quelques minutes avant, la maman chouette parlait à ses petits. D'autres familles les imitèrent. Le tronc mort que Nyroc occupait se mit à grouiller de tas de petits animaux. Serpents, rats et écureuils s'échappaient de leurs cachettes dans le désordre. Les craquements du bois sec étaient assourdissants. La forêt flambait à présent. Seul Nyroc ne bougeait pas, hypnotisé par les flammes immenses qui semblaient monter jusqu'à la lune blême.

Des silhouettes étranges s'animèrent dans le brasier, des créatures qu'il ne reconnut que lorsqu'il put distinguer les reflets verts de leurs yeux en amande. Elles bondissaient dans une fumée rougeoyante au milieu des flammes. La chaleur devenait extrême mais Nyroc la sentait à peine. Il était victime d'un phénomène que les charbonniers expérimentés tenaient pour le plus dangereux de tous : l'effet pyrobolant. Saisi par la beauté terrible du feu, il était pétrifié. Ses ailes pendaient mollement sur son ventre. Il ne pensait même pas à s'envoler. Il lisait les flammes, perdu dans leur contemplation. Elles lui racontaient des histoires, elles lui chantaient des chansons, et il s'absorbait dans leurs crépitations ensorceleuses.

25
Le Charbon de Hoole

— Grank devint plus qu'un simple charbonnier. Il fut l'un des rybs les plus admirés de l'histoire de Ga'Hoole, racontait Otulissa.

Ses élèves l'écoutaient avec attention, captivés, dans la bibliothèque du Grand Arbre.

— Il fut le ryb de notre premier roi, le grand Hoole. Vous connaissez tous l'histoire de Hoole ?

Les oisillons hochèrent la tête en silence. Otulissa était un professeur assez strict et intimidant, qui ne tolérait aucune plaisanterie. Cependant, ils aimaient tous l'entendre parler des temps anciens. Une petite femelle chevêchette, plus curieuse et hardie que ses camarades, leva une serre.

— Oui, Frida, tu as une question ?

— Est-ce que c'est vrai que le roi Hoole... euh... que

tout le monde savait qu'il était le véritable roi des chouettes parce qu'il avait trouvé le Charbon de Hoole et qu'il pouvait le prendre dans son bec ?

— C'est ce que dit la légende, en effet. Autrefois, cette braise peu ordinaire s'appelait le Charbon de Glaucis. Grank l'avait découverte le premier. Il comprit qu'elle renfermait des pouvoirs extraordinaires, susceptibles de provoquer des catastrophes s'ils étaient mal utilisés. Alors il la lâcha dans le cratère d'un volcan pour la mettre à l'abri. Même si, en ce temps-là, les charbonniers savaient plonger dans les volcans, il sentit au fond de son gésier que seule la plus noble des chouettes percevrait sa présence et saurait la récupérer.

— Les charbonniers de Par-Delà le Par-Delà savent toujours plonger dans les volcans ?

— Oh, non. Cet art s'est perdu depuis des générations. Aucune chouette n'a plongé dans un volcan depuis probablement… un millier d'années.

— Même pas Ruby ?

Frida cligna ses paupières ; les touffes de plumes blanches qui surmontaient ses yeux jaune vif lui donnaient un petit air studieux. Son idole, Ruby, une femelle hibou des marais, appartenait au squad des charbonniers. Elle était connue en particulier pour ses acrobaties aériennes spectaculaires.

— Non, pas même Ruby, répondit Otulissa.

— Mais il ressemblait à quoi exactement, le Charbon de Glaucis ? insista Frida.

— Imaginez une sorte de charbon flagadant très puissant. Vous savez ce qu'est un charbon flagadant ?

Les petits acquiescèrent. Ils venaient de suivre à la forge une leçon qui portait précisément sur ce sujet.

— À la différence qu'il n'existait qu'un seul et unique Charbon de Hoole, continua Otulissa. Certains prétendent qu'il s'est éteint avec le roi quand celui-ci est mort. D'autres avancent au contraire qu'il a été emporté et caché à nouveau au pays de Par-Delà le Par-Delà.

— Moi, commença une chouette lapone prénommée Buck, j'ai entendu dire que...

— Buck, rappelle-toi de lever une serre et de demander la permission avant de parler.

Il leva une serre et poursuivit :

— J'ai entendu dire qu'il est enterré quelque part près d'un volcan et gardé par des loups-terribles.

— Des loups-terribles ? s'exclama Frida. N'importe quoi !

— Allons, allons, gronda Otulissa. On observe un minimum de règles de civilité dans les échanges, je vous prie.

La classe la regarda d'un air bête. Ils n'avaient pas la moindre idée de ce que signifiait « un minimum de règles de civilité », mais ils se doutèrent qu'il s'agissait *grosso modo* de rester polis.

— Moi, je crois que les loups-terribles n'existent plus, déclara Frida. Je traduis : disparus depuis une éternité, Buck ! Bye bye. Y en a plus !

— Nous pensons en effet que l'espèce s'est éteinte.

Quand Buck avait mentionné les loups-terribles, le gésier d'Otulissa avait frémi. Oh, à peine, comme lorsqu'on éprouve un sentiment de déjà-vu. Ce qui, dans le cas présent, était ridicule. Où aurait-elle aperçu ce genre de monstre ? À l'époque où ils vivaient encore, ces animaux ne s'étaient jamais approchés de l'île de Hoole, ni même des Royaumes du Nord, où vivaient pourtant plusieurs autres espèces de loups.

Une chouette effraie leva la serre.

— Mais vous pensez que c'est vrai... je veux dire, pas la partie sur les loups, mais la légende du Charbon de Hoole ?

Ses yeux noirs brillaient d'un tel enthousiasme et d'un tel espoir qu'Otulissa ne voulut pas la décevoir.

— Wensel, il est possible que ce soit authentique. Personne n'en est absolument sûr, mais c'est possible.

— Seulement possible ? fit Wensel.

Otulissa aurait aimé pouvoir en dire plus. Depuis qu'elle enseignait le Cycle du feu, son gésier était perturbé et elle faisait de drôles de rêves. Mais son esprit rationnel lui interdisait de croire aux prémonitions. Oh, bien sûr, des chouettes comme Soren, qui possédait la vision supersidérale, savaient en tirer parti. Toutefois cet art n'était ni très fiable ni scientifique. Or Otulissa avait foi en la science. Elle voulait du concret, des preuves, des résultats vérifiables.

Plus étrange encore venant d'elle, elle éprouvait ces jours-ci la sensation très nette que le scrome de sa chère vieille ryb, Strix Struma, jouait un rôle dans ces rêves. Inutile de préciser qu'Otulissa n'avait jamais cru une seule seconde à l'existence des scromes. Elle interprétait leurs apparitions comme des illusions d'optique déformées par l'imagination d'esprits faibles, désordonnés ou fiévreux. Et elle n'était ni faible, ni désordonnée, ni fiévreuse. D'ailleurs, elle n'avait jamais eu de fièvre, pas même le jour où elle avait été blessée lors du terrible siège du Grand Arbre[1].

Enfin, en admettant que les scromes existent, pourquoi celui de Strix Struma viendrait-il la hanter ? S'il y avait bien une chouette qui méritait de rester en paix à Glaumora, c'était elle. Une héroïne pareille errerait sur la terre sans trouver le repos ? Non ! Après une vie bien remplie, elle avait achevé sa mission dans ce monde d'une façon exemplaire, avec courage, grâce et sens de l'honneur.

En dépit de ces raisonnements solides, Otulissa ne pouvait s'empêcher de se poser des questions. Pourquoi cette soudaine obsession pour le Cycle du feu ? Après tant d'années consacrées à l'étudier, il semblait subitement s'éclairer et prendre une dimension nouvelle. Y avait-il un message crypté entre les lignes, juste pour

1. Voir livre IV, *Le siège*.

elle ? Chaque fois qu'elle les parcourait, un sentiment d'urgence mêlé de désespoir l'envahissait. « Pourquoi ? Pourquoi ? »

C'était bientôt l'heure de la matine au réfectoire. Mais la chouette tachetée n'avait pas faim, et elle n'avait aucune envie de bavarder ce matin. Dès qu'elle eut quitté ses élèves, elle se retira directement dans sa chambre. En chemin, elle croisa Mme Pittivier.

— Tu ne te rends pas à la cantine, Otulissa ?

— Non, madame P., je crois que je vais m'écrouler sur ma mousse.

La dame serpent tourna la tête et suivit Otulissa de son regard aveugle. Mme P., dont la sensibilité extrême ne déclinait pas avec les années, avait remarqué que la chouette tachetée se comportait curieusement ces temps-ci. Et bien que les reptiles n'aient pas de scromes, elle aurait juré percevoir des vibrations scromesques autour d'Otulissa.

Tandis que la lumière du matin se déversait par l'ouverture de son creux, Otulissa se tournait et se retournait dans son sommeil. Elle était prisonnière d'un rêve de feu et de flammes. Les chants du Cycle du feu se mélangeaient dans son cerveau. Son gésier vibrait comme une baguette de sourcier. Toutefois, même dans cette atmosphère cauchemardesque, la chouette tachetée réfléchissait méthodiquement. « Ce n'est qu'un mauvais rêve, se disait-elle. Encore une indigestion, à coup sûr. Mon estomac n'aura pas apprécié l'écureuil volant qu'ils ont servi à la finegoulette. À moins que ce ne soit ces ailes de chauves-souris rôties. Otulissa, tu n'es pas raisonnable ! Tu sais pourtant que tu digères mal les ailes de chauves-souris rôties ! se sermonna-t-elle en dormant. Je devrais dire à Cordon-Bleu de ne pas se vexer si je n'en mange plus. Pourtant j'adore la sauce barbecue qu'elle y ajoute. » Qui d'autre qu'Otulissa aurait eu l'idée de s'excuser auprès de la cuisinière en plein milieu d'un cauchemar ?

Après une très courte phase de sommeil profond, elle se réveilla ce soir-là complètement épuisée. Mais pour la première fois, elle se souvenait presque des grandes lignes brumeuses de son rêve. Elle se regarda dans un fragment de miroir.

— Grand Glaucis, quelle sale mine ! marmonna-t-elle.

Espérons qu'un bon repas de finegoulette me requinquera.

Heureusement, elle avait déjà préparé sa leçon d'aujourd'hui. Elle portait sur... le Cycle du feu, deuxième partie.

— Crottes de raton ! jura-t-elle tout bas.

26

Les bois aux esprits

« Otulissa ! Voilà ! Elle s'appelle Otulissa ! »

Nyroc se dégagea en hâte de son creux enfumé. Il s'éleva au milieu des flammes, cherchant des courants chauds sur lesquels prendre de l'élan. Et bien qu'il n'ait jamais appris les techniques des charbonniers, il possédait déjà tous leurs réflexes. Il rebondissait sur les colonnes d'air brûlant qui trouaient la nuit avec violence. Il se méfiait de façon innée des poches où l'atmosphère se rafraîchissait, provoquant ce que les professionnels appelaient des « trappes », capables d'aspirer les étourdis et de les faire dégringoler jusqu'au sol.

Une braise passa en sifflant à côté de lui et il l'attrapa en plein vol – un exploit étonnant que la plupart des charbonniers ne maîtrisaient qu'au bout de plusieurs saisons d'entraînement. Si un ancien l'avait vu, il se serait exclamé : « Par Glaucis ! On dirait qu'il a été entraîné par Grank en personne ! » Il enchaînait en effet les « contre-pivots de Grank », les ailes légèrement inclinées et basses, une figure délicate qui aidait à contourner les couronnes de feu et à s'emparer des meilleurs tisons au moment où ils étaient propulsés vers le ciel.

Nyroc traversa l'incendie d'instinct, les yeux rivés sur les flammes, en repensant à cette chouette tachetée prénommée Otulissa. Il la voyait, enfin ! Il avait déjà rêvé d'elle mais son image s'était évaporée à son réveil, comme des gouttes de rosée dans le soleil du matin. Et elle n'était pas seule. Le feu lui dévoilait les traits d'une seconde chouette tachetée, plus âgée. Elle ressemblait à un scrome, pourtant Nyroc sentait qu'elle était la bonté même et qu'il pouvait se fier à elle. Alors les scromes ne venaient donc pas tous de Hagsmire ? Celle-ci portait-elle un message de Glaumora ? Il percevait son appel :

— *Suis-moi ! Suis-moi !*

Le feu disparut bientôt, mais la voix douce continua de le guider. Il quitta le Pays du Soleil d'Argent. Au loin, il distinguait la mer d'Hoolemere. Le conduisait-elle à l'île de Hoole ? Au Grand Arbre ?

— *Non,* répondit-elle d'un ton ferme.

Ils survolaient à présent une péninsule recouverte d'arbres étranges. Leur écorce était blanche, et leurs branches dépourvues de feuilles. Bien qu'il ait contemplé peu de forêts dans sa courte vie, Nyroc sut au premier instant que celle-ci était spéciale. Elle rayonnait dans la nuit sombre. Une aura mystérieuse formait au-dessus d'elle une brume lumineuse, piquée çà et là de reflets éblouissants. Une volute scintillante s'éleva et la chouette tachetée se présenta soudain devant Nyroc. Il rejoignit la créature de lumière sur une branche fantomatique.

— *Où sommes-nous?* demanda-t-il.

— *Dans un bois aux esprits.*

Un léger frémissement de peur parcourut son gésier.

— *Je vous entends dans ma tête. Vous êtes un scrome!*

— *Oui, mais pas comme celui qui t'a hanté. Les bois aux esprits n'abritent pas de mauvais scromes. Ce sont les seuls endroits où ils ne peuvent pas entrer.*

— *Pourquoi sommes-nous ici?*

— *Nous attendons quelqu'un.*

— *Qui?*

— *Je crois que tu le sais.*

— *Ah, oui?*

— *Réfléchis, Nyroc.*

— *Otulissa?*

Le scrome acquiesça.

— *Elle t'aidera à achever ton voyage.*

— *Quel voyage?*

— *Je ne peux pas t'en dire plus. Tu devras trouver la réponse par toi-même.*

— *Mais comment? Et si je dois trouver la réponse tout seul, pourquoi Otulissa doit-elle me rejoindre ici?*

— *Revenir aux origines...* murmura énigmatiquement la chouette tachetée.

Ses taches étincelèrent d'un tel éclat que Nyroc cligna des yeux. Il avait l'impression de fixer le soleil.

— *Revenir aux origines? S'il vous plaît, expliquez-moi.*

Après un long silence, le scrome soupira.

— *Tu sais ce que tu as à faire. J'espérais qu'elle viendrait ici pour t'aider à trouver ton chemin. Mais elle est si têtue! Elle ignore les signaux que lui envoie son gésier. Elle refuse de croire ce qu'elle ne peut pas prouver.*

— *Et les loups-terribles?* lâcha Nyroc.

— *Tiens! Les loups-terribles... Alors tu sais qui ils sont maintenant?*

Nyroc hocha la tête. Sa propre question l'avait surpris. Il venait seulement de réaliser que les créatures souples aux yeux verts effilés révélées par les flammes étaient des loups-terribles.

— *Figure-toi qu'elle ne croit ni aux loups-terribles, ni au pouvoir des rêves, ni aux scromes.*

Nyroc comprit qu'elle parlait d'Otulissa.

— *Tandis que toi, mon petit, tu sais que les scromes existent, n'est-ce pas?*

— *Oui... Ainsi que les loups. Et le Charbon de Hoole. Je sens qu'ils sont liés à moi, à mon voyage, mais...*

Déjà le scrome s'effaçait et ses jolies taches chatoyantes se brouillaient.

— *Ouvre l'œil, Nyroc. Otulissa viendra jusqu'à toi.*

Un banc de brouillard venu de la mer d'Hoolemere l'enveloppa dans ses vapeurs épaisses et elle disparut.

Nyroc eut l'impression de se réveiller d'une sorte de transe. Il prit à nouveau conscience de son corps, des battements de son cœur, des palpitations de son gésier. Il fixa, hébété, ses serres qui cramponnaient le rameau blanc.

Puis il leva les yeux vers la brume insondable qui s'en retournait vers la mer. En se concentrant très fort, il lui sembla qu'il pouvait entendre quelque chose – comme une voix caressante qui chuchotait :

— *Que Glaucis te garde, mon garçon...*

27
Les loups-terribles

Vers le milieu de l'après-midi, Otulissa se rendit à la bibliothèque du Grand Arbre de Ga'Hoole. Les autres habitants de l'arbre dormaient profondément. Elle avait choisi cette heure tranquille en espérant que personne ne viendrait fourrer son bec dans ses affaires. Elle comptait dénicher un maximum d'informations au sujet des loups-terribles. La première question qu'elle se posait était la suivante : s'agissait-il de créatures légendaires ou avaient-ils réellement existé ? « Drôle de coïncidence ! » se dit-elle en remarquant que les livres consacrés aux légendes et les manuels scientifiques se trouvaient sur des étagères voisines. Elle afficha une expression désapprobatrice. Dans son esprit bien organisé, ils représentaient deux domaines de connaissance distincts, et en aucun cas liés. L'un s'appuyait sur des expérimentations ; l'autre, non. Ils poursuivaient des buts différents : celui de la science était d'étudier l'histoire naturelle de la planète et de ses habitants, tandis que les légendes, elles, servaient à stimuler l'imagination et à développer la sensibilité. Malgré tout, les deux constituaient une gymnastique utile et précieuse pour le développement de l'esprit et du gésier.

Elle opta pour un ouvrage intitulé *Quadrupèdes : races anciennes et disparues*, écrit par une chouette des terriers très respectée du siècle précédent. Cette espèce, naturellement douée pour creuser, avait toujours été à la pointe de la recherche dans l'étude des os fossilisés. Otulissa s'installa confortablement pour lire. Elle tourna une page et tomba sur une illustration spectaculaire : le dessin d'une dent gigantesque, plus longue encore que les crocs de l'ours Svall.

— Ouf ! marmonna-t-elle.

Cette canine était aussi grosse que sa jambe ! « Le loup-terrible, expliquait le texte, est bien plus robuste que son cousin le loup commun, *Canis lupus*. »

— C'est le moins qu'on puisse dire ! s'exclama-t-elle à voix basse.

« Bien que rappelant le loup gris d'aujourd'hui par de nombreux aspects, le *Canis dirus* (littéralement, « chien terrible ») possédait une tête beaucoup plus large. L'autre différence notable avec les espèces contemporaines réside dans ses pattes massives et solides. Quoique plus courtes que les pattes du loup gris, et peut-être moins agiles, elles lui permettaient de réaliser des bonds impressionnants et de terrasser de grosses proies. Cette caractéristique, associée à des crocs puissants capables de broyer les os de ses victimes, faisait du loup-terrible un formidable prédateur. Par ailleurs, certains scientifiques ont déduit du volume de sa tête que son cerveau pouvait être plus développé que celui de ses cousins actuels.

« Même si aucune expédition n'a été menée dans le territoire connu sous le nom de Par-Delà le Par-Delà jusqu'à aujourd'hui, des chercheurs affirment que l'espèce s'y est établie à la suite d'importantes migrations il y a des dizaines de milliers d'années, à la période où les couches de glace de la dernière glaciation recouvraient la majeure partie de la planète, causant l'extinction de nombreux grands carnivores. Toutefois, la plupart des spécialistes estiment peu probable que les loups-terribles aient survécu. »

— Ils sont morts pour de bon, trancha Otulissa. Pire que morts : éteints.

Une voix chevrotante s'éleva d'une haute pile de livres :

— C'est ce qu'on dit.

Otulissa sursauta de surprise et voleta sur place à quelques centimètres du sol.

— Ezylryb ! s'exclama-t-elle. Que faites-vous ici ?

— Je pourrais te retourner la question.

— Oh, je lis un livre sur les loups-terribles. Ils ont disparu, vous savez.

— Oui, c'est ce qu'on dit, répéta-t-il.

— Non, je vous assure.

— Ils ont peut-être disparu des livres de science. En revanche, la poésie, la littérature et les légendes ne meurent jamais. Ne visent-elles pas à nous libérer de la monotonie de notre quotidien, à briser ces barreaux grossiers entre lesquels nous enferme le présent, afin que toujours nous illumine la lumière de la connaissance ? Je me permets de t'orienter sur le troisième chant du livre II du Cycle du feu, vers 47 à 99.

Le vieux ryb, devenu avec l'âge presque aussi blanc qu'un harfang, leva sa patte à trois serres – celle qui intimidait tant Otulissa quand elle était jeune – pour désigner l'ouvrage.

— Merci, monsieur, j'ai une copie du Cycle du feu dans mon creux. Je crois que je le lirai là-bas.

Les paroles d'Ezylryb la secouaient profondément. Elle recherchait des preuves de l'existence des loups-terribles et lui, le ryb du Grand Arbre le plus dévoué à la science, lui recommandait de se reporter à des légendes ! Malgré ses efforts pour dissimuler ses émotions, elle était convaincue qu'il avait remarqué la confusion jetée dans son esprit par ses cauchemars. Qu'allait-il penser d'elle maintenant ? Elle avait hâte de retrouver l'intimité de son creux. Le soleil était toujours haut dans le ciel. Il lui restait bien assez de temps pour parcourir ces quelques vers avant la finegoulette.

Elle frissonna en entrant dans sa chambre. L'air lui parut glacial ; alors elle remua les tisons presque éteints dans l'âtre. En tant que Gardienne et ryb, elle avait le privilège de se chauffer aux charbons. Puis elle s'aperçut qu'elle avait répandu une traînée de poussière sur le plancher. Elle aurait pu appeler un serpent domestique, mais elle préféra nettoyer elle-même. Elle enchaîna avec une autre corvée, et ainsi de suite de prétexte en prétexte, jusqu'à ce qu'elle finisse par admettre qu'elle ne pouvait reporter plus longtemps la véritable tâche qui l'attendait. Seuls les lâches et les imbéciles fuyaient la quête de la connaissance. C'était une activité noble, presque sacrée. Elle se dirigea donc vers son étagère et prit sa vieille copie écornée du Cycle du feu. Elle tourna délicatement les pages avec une serre et trouva le chant dont Ezylryb lui avait parlé :

Sous la caresse du dernier rayon de lune,
Fengo, le loup-terrible, traversa la nuit.
Derrière lui, un à un, d'autres loups se glissèrent,
Et bientôt une meute se mit à errer sur la terre.
Abandonnés par l'espoir et rongés par la faim,
Fuyant leurs territoires conquis par les glaces,
Ils allaient de l'avant en quête d'un abri propice.

Chaque fois qu'un loup demandait :
« Où s'arrêtera ce voyage ? »,
Fengo lui répondait : « Par-delà le par-delà !
Voyez-vous ces feux qui brûlent l'horizon
Au-delà des sommets escarpés ?
Voyez-vous luire les charbons ardents
Et couler des flots de lave étincelants ?
Là où les flammes éclaboussent la lune de sang,
Là-bas est notre asile.
Par-delà le par-delà ! » rugit Fengo sous la lune claire.
Mais les loups dirent : « Ce voyage finira-t-il un jour ? »
Oui, il prit fin, et cette fin fut l'aube d'une nouvelle ère.
Ainsi Fengo et ses loups franchirent l'au-delà du par-delà.
Au pied des cratères furieux ils creusèrent leur tanière.

Entre les rochers, dans les grottes des montagnes noires
Scintillantes d'éclats d'obsidienne,
Entre les mines de charbon et les rivières de feu, ils creusèrent leur tanière.
Et ce pays hostile leur fut havre et asile.
Avec le feu avide ils conclurent un pacte.

Pourtant, par-delà le par-delà
Nombreux furent ceux qui trépassèrent.

Otulissa s'était renseignée sur cette ère glaciaire, le pléistocène, qui avait causé une extinction massive parmi les gros animaux ; il avait fallu des milliers d'années pour que la vie se régénère. Mais les plus petites créatures étaient parvenues à survivre, tant bien que mal. Les plus désespérées avaient migré, comme les loups-terribles, vers Par-Delà le Par-Delà. Il semblait que depuis l'origine du monde tous les exilés se retrouvaient à un moment ou à un autre à Par-Delà le Par-Delà. Encore aujourd'hui, le pays abritait de nombreuses Pattes graissées sans patrie.

Le chant suivant, qui racontait comment Grank avait caché le Charbon de Hoole afin de le mettre en sûreté, était un des plus poétiques. Mais Otulissa adorait particulièrement un passage entraînant, plus loin dans le texte, où le lecteur apprenait comment Grank avait sauvé le poussin Hoole :

Cette nuit-là, de l'obscurité
Surgit une autre chouette désespérée

Venue sauver Hoole le Grand
Par qui s'achèveraient les guerres de clans.

Suivait enfin le dernier chant, dont la signification faisait toujours l'objet d'âpres débats entre les chercheurs. Otulissa le déchiffra lentement, avec attention.

Flambent les flammes d'or,
Brûlent les feux ardents,
Car l'Élu de Hoole
Sait lire dans leur cœur.
Il n'abandonnera sa quête
Ni la nuit ni le jour,
Bravant l'exil et la solitude.
Son gésier est celui d'un juste.
À la fin de l'été, il reviendra
Avec au bec un charbon,
Roi véritable et non plus l'ombre d'un roi,
Aguerri, endurci, aussi sage que brave.

Otulissa relut la dernière strophe. Il était communément admis parmi les spécialistes que des vers avaient pu disparaître de la fin du Cycle. Certains soutenaient mordicus que la dernière strophe était une prophétie et que les vers manquants auraient soutenu cette thèse. Otulissa n'avait jamais cru à ces hypothèses hasardeuses. Mais en parcourant à nouveau ce passage, il lui sembla en effet qu'il était question d'un personnage inconnu – une sorte d'envoyé de Hoole. La théorie de la prophétie n'était peut-être pas si absurde, finalement.

Une douce lumière inonda bientôt le creux. Le soleil qui brillait par l'ouverture annonçait une belle matinée d'été. « Par Glaucis ! J'ai lu à la lueur de la bougie toute la nuit ! » se dit-elle. Elle allait souffler sur la mèche mais se ravisa pour contempler rêveusement la flamme vacillante qui jetait des ombres dansantes sur les murs et jusque sur le plafond. Elle avait entendu parler de ces chouettes qui savaient lire dans les flammes. Hoole prédisait-il la venue d'un Œil de Grank, comme on les appelait ?

— *Oui,* souffla une voix familière dans sa tête.

Otulissa cligna des yeux. « Strix Struma ? »

Ce qu'elle avait d'abord pris pour une ombre adopta peu à peu les contours d'une silhouette bien connue. « Je n'ai jamais cru aux scromes ! » protesta-t-elle intérieurement. Un doux chuintement lui répondit. C'était bien Strix Struma!

— *Je sais, tu n'as jamais accordé beaucoup de crédit aux « caprices de l'imagination » – c'est ainsi que tu les appelles, n'est-ce pas?*

Otulissa resta muette de stupeur. Puis lui vint une idée troublante. Le scrome, comme s'il lisait dans ses pensées, s'empressa de la rassurer :

— *Non, je n'erre pas ici-bas comme une âme en peine pour régler une dernière affaire. J'ai vécu ma vie pleinement et je n'ai rien à regretter. Cependant, je dois t'informer qu'une mission très importante t'attend.*

— *Elle consiste en quoi?*

— *Eh bien... je ne suis pas sûre de ce en quoi elle consiste.*

— *Pas sûre? Vous? Vous avez toujours été sûre de tout!*

— *Comme tu as toujours été certaine que les scromes n'existaient pas...*

— *S'il vous plaît, ne pouvez-vous pas m'en dire davantage?*

— *... pas plus que les prophéties. Tu as toujours jugé les prophéties ridicules.*

Une secousse partit du gésier d'Otulissa et agita son petit corps.

— *Quelqu'un a besoin de moi, n'est-ce pas, Strix Struma? La chouette que j'ai vue en rêve il y a quelques jours...*

Le scrome hocha la tête en silence.

— *La connaissez-vous? S'il vous plaît! Qui est-ce?*

Soudain la lumière crue du soleil se déversa dans le creux. La bougie grésilla et cracha sa dernière étincelle. Le scrome était parti.

Otulissa n'avait plus aucune hésitation. Elle devait se préparer pour son voyage vers Par-Delà le Par-Delà, où l'attendait une chouette dans le besoin. Ce n'était pas son esprit hyper-rationnel qui la poussait à entreprendre ce périple, mais un rêve! Un rêve où lui était apparue une jeune chouette effraie, presque un poussin, qui semblait si désemparée...

Ce jour-là, la chouette tachetée dormit d'un long sommeil sans rêve, d'une traite, jusqu'à l'ombrée.

À son réveil, elle sautilla en direction de sa bibliothèque personnelle, qui surplombait les niches où elle rangeait ses cartes. Toutes les régions du monde des chouettes y figuraient, ainsi que des notes détaillées sur les vents dominants pour chaque territoire.

— Numéro 37, voici la carte qu'il me faut, murmura-t-elle.

Elle sortit un rouleau de parchemin épais et le déroula sur le sol. « Très grande instabilité thermique, disait la note. Les vents dominants viennent en général du sud-est, sauf en période d'éruptions. Mais ces périodes sont également imprévisibles. »

— D'accord, grommela Otulissa. Ça commence bien...

Elle enroula la carte avec précaution après avoir confié à sa mémoire les détails pertinents et la topographie du lieu. Elle devrait voyager léger. Quelques instruments de navigation, pas de serres de combat – elles lui feraient une belle patte contre des loups-terribles ! « Voyons... Quelle excuse vais-je inventer ? » Soren, Gylfie, Spéléon et Perce-Neige la croiraient folle si elle leur avouait que le scrome de Strix Struma était apparu dans son creux après une lecture attentive du Cycle du feu, pour l'inciter à aller à Par-Delà le Par-Delà. Ou alors ils penseraient qu'elle partait faire affaire avec des Pattes graissées. Ha ! Cette mission n'était sûrement pas pour des minables de Pattes graissées! D'ailleurs... en quoi consistait cette mission, au juste? « Oh, Otulissa, qu'est-ce que tu fais? »

Dans une forêt lointaine, une autre chouette, tapie à l'intérieur d'une souche pourrie, sentit l'ombre froide d'un masque de métal passer sur elle. Le gésier de Nyroc se serra. « Non, c'est impossible! »

— *Si!*

Il avait tant enduré. La mort de son meilleur ami, la colère de sa mère, le soleil aveuglant sur ses plumes lorsqu'il chassait... « Ça suffit! Ça suffit! » À bout de nerfs, épuisé, il fonça droit sur le masque qui flottait parmi les ombres du soir.

— Tu n'es qu'un masque, rien de plus! Il n'y a rien derrière ton reflet – pas de visage, rien! Tu es vide! Je volerai dorénavant dans la nuit pleine. Je chasserai le campagnol, le rat et même le renard sous la lune et les étoiles. Je redeviendrai une chouette et peu importe où je devrai aller pour cela. J'irai! Et jamais je ne retournerai auprès des Sangs-Purs. Je te défie! Je suis libre!

TABLE

La chouette effraie

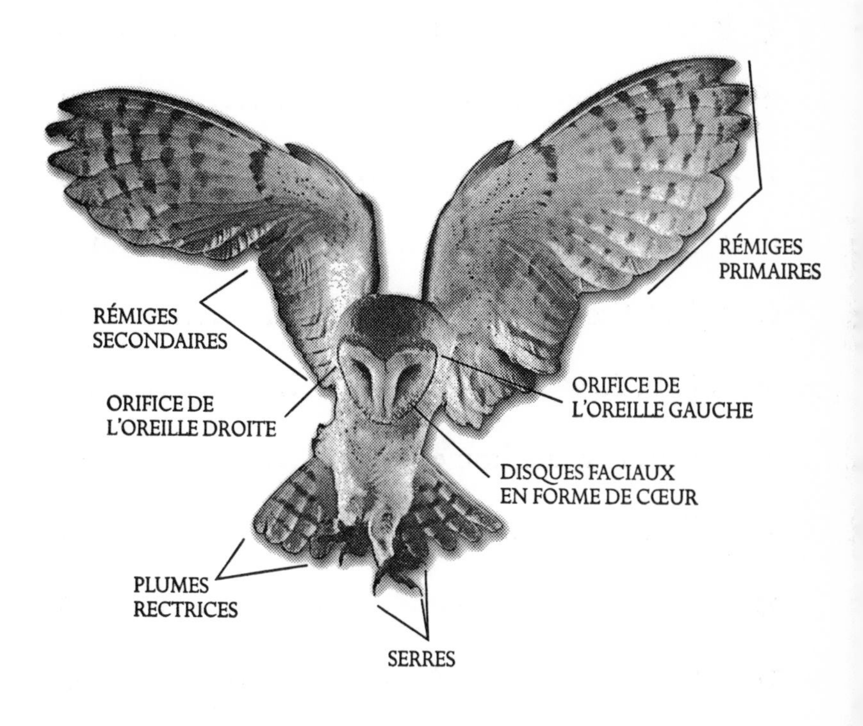

Du même auteur,
dans la même collection :

I. *L'enlèvement*
II. *Le grand voyage*
III. *L'assaut*
IV. *Le siège*
V. *Le guet-apens*
VI. *L'incendie*

Achevé d'imprimer sur les presses de

à Saint-Amand-Montrond (Cher)
en novembre 2008

Cet ouvrage a été composé par
PCA - 44400 REZÉ

12, avenue d'Italie – 75627 PARIS Cedex 13

— N° d'imp. : 082457/1. —
Dépôt légal : novembre 2008.

Imprimé en France